"O CAPITAL" DE MARX

BEN FINE
ALFREDO SAAD FILHO

"O CAPITAL" DE MARX

Tradução

Bruno Höfig, Guilherme Leite Gonçalves, Renato Gomes
e Leonardo Paes Müller

São Paulo

2021

CONTRACORRENTE

Alameda Itu, 852 | 1º andar
CEP 01421 002
www.loja-editoracontracorrente.com.br
contato@editoracontracorrente.com.br

Editores

Camila Almeida Janela Valim
Gustavo Marinho de Carvalho
Rafael Valim

Equipe editorial

Coordenação de projeto: Juliana Daglio
Projeto gráfico: Denise Dearo
Capa: Maikon Nery
Copidesque: Jade Amorim
Revisão técnica: Bruno Höfig e Leonardo Paes Müller

Título original

Marx's "Capital"

Dados Internacionais de Catalogação na Publicação (CIP)
(Ficha Catalográfica elaborada pela Editora Contracorrente)

F495 FINE, Ben; SAAD FILHO, Alfredo.
"O Capital" de Marx| Ben Fine e Alfredo Saad Filho; tradução: Bruno Höfig, Guilherme Leite Gonçalves, Renato Gomes e Leonardo Paes Müller– São Paulo: Editora Contracorrente, 2021.

ISBN: 978-65-884702-68

1. Economia. 2. Marxismo. 3. Economia Política.
I. Título.

CDD: 335.412
CDU: 330.1

Impresso no Brasil
Printed in Brazil

@editoracontracorrente
Editora Contracorrente
@ContraEditora

SUMÁRIO

AGRADECIMENTOS DA EDIÇÃO BRASILEIRA

Somos profundamente gratos aos professores Bruno Höfig, Guilherme Leite Gonçalves, Leonardo Paes Müller e Renato Gomes pela generosidade e dedicação empenhadas na tradução deste livro, e ao professor Rafael Valim, grande amigo, cujo apoio permitiu a publicação desta obra no Brasil.

AGRADECIMENTOS DA SEXTA EDIÇÃO EM INGLÊS

Este livro foi preparado inicialmente no início dos anos 70 a partir de cursos de "Economia Marxista" e "Distribuição da renda e da riqueza" ministrados por Ben Fine no Birkbeck College, Universidade de Londres. Agradecemos a quem ensinou e participou desses cursos. Bob Rae e Simon Mohun leram versões anteriores da primeira edição, Harald Minken leu a quarta edição e Greg Albo leu detalhadamente a quarta e a quinta edições. Muitas de suas sugestões foram incorporadas. Muitos outros – especialmente estudantes de vários continentes ao longo das décadas em que este livro foi publicado – contribuíram para o aprimoramento de sucessivas edições. Também somos gratos aos muitos colegas, numerosos demais para listar, que apresentaram comentários muito úteis ao texto.

Somos gratos a todas e todos da Pluto Press pelo apoio no relançamento de *"O Capital" de Marx* e, em particular, a Anne Beech e Anthony Winder, que contribuíram sobremaneira para a publicação desta nova edição.

PREFÁCIO DA EDIÇÃO BRASILEIRA

A teoria do valor é o núcleo da economia política marxista e Marx explica sua teoria do valor em grande detalhe em sua *magnum opus*, *O Capital*. Ali são examinadas as formas do valor e os processos capitalistas de produção, extração, circulação e distribuição de (mais) valor, em todas as suas formas. Ao fazê-lo, Marx destaca as conexões entre diferentes aspectos do capitalismo e é essa integração que garante à sua economia política seu poder analítico e o potencial de explicar as características sistêmicas do capitalismo que outras escolas de pensamento nas ciências sociais têm dificuldade em analisar.

A economia política marxista se concentra no estudo das condições materiais de reprodução social no capitalismo. Segue-se que a teoria do valor, conforme apresentada em *O Capital* – e resumida e explicada neste livro – é uma teoria das classes, das relações de classe e da exploração no capitalismo. O exame dessas relações de produção e exploração, assim como dos conflitos aos quais elas *inevitavelmente* dão origem, permite-nos compreender as contradições do capitalismo como um modo de produção, lançando luz sobre sua dinâmica, desdobramentos históricos, crises, limitações e a possibilidade de transcendê-lo.

Como explicado n'*O Capital*, a teoria do valor de Marx é necessariamente dinâmica e, portanto, incompatível com o conceito – fundamental à tradição neoclássica – de "equilíbrio". Em vez disso, o foco de Marx está nas forças e tendências intrínsecas ao capitalismo e em sua interação com as contratendências que lhes correspondem, da qual emerge uma gama de resultados complexos. A abordagem de Marx reconhece também os limites da análise abstrata e a necessidade de incorporar a ela materiais historicamente específicos, seja no que se refere a fenômenos amplos, como os estágios do capitalismo, seja em relação a aspectos mais concretos, como as relações entre indústria e finanças, ou os conflitos de classe próprios a cada país.

Por conta disso, a economia política de Marx pode nos ajudar a superar o caráter fragmentário da experiência da exploração em sociedades capitalistas, além de mostrar que a produção capitalista necessariamente envolve conflitos sociais na produção e na distribuição. Marx desenvolveu a abordagem apresentada n'*O Capital* com o intuito de fornecer subsídios às ações voltadas à superação desse sistema de produção, não apenas como resultado de um trabalho teórico consistente, mas – e com urgência – a fim de articular a possibilidade da liberdade humana, e também da sobrevivência biológica da humanidade que se encontra ameaçada pela rápida degradação ambiental promovida pelo capitalismo moderno.

No Brasil, como em outros lugares, se faz necessária uma ação em massa informada, coordenada e organizada para enfrentar esses e outros problemas importantes de nossa época, entre eles o desemprego estrutural, a pobreza em meio à abundância, a disseminação de doenças curáveis ou controláveis (cujo poder destrutivo revelou-se de maneira dramática em 2020 com a pandemia do coronavírus), o analfabetismo funcional, a opressão cultural, étnica e econômica. Ao abordar esses desafios e suas possíveis soluções, Karl Marx oferece uma análise dos preconceitos atuais e que pode inspirar soluções criativas. Esperamos que este livro possa dar suporte a esse esforço, fomentando o debate e contribuindo para a busca de soluções radicais para os desafios colocados pelo capitalismo global.

Ben Fine e Alfredo Saad Filho

Londres, fevereiro de 2021.

PREFÁCIO DA SEXTA EDIÇÃO EM INGLÊS

"O Capital" de Marx foi escrito originalmente no início dos anos 70. O livro era um produto do seu tempo. Na Grã-Bretanha e em outros lugares, o interesse na economia política de Marx havia sido despertado após vários anos de uma intensa repressão, realizada sob o pretexto de culpar os trabalhadores e os movimentos de esquerda pelo fim da expansão econômica do pós-guerra. Esse interesse cresceu e foi alimentado pelo evidente declínio da economia capitalista mundial e pela rejeição das explicações então vigentes do crescente mal-estar econômico associado à estagflação. Muita coisa mudou desde então e as edições sucessivas deste livro, a seu modo, refletiram as transformações da economia global e da economia política.

A terceira edição foi lançada em 1989 e a quarta, publicada em 2004 pela Pluto Press, introduziu este pequeno livro a novos tempos e a uma nova audiência. A ascensão do neoliberalismo nas décadas de 1980 e 1990 reformulou o mundo capitalista, expandiu a dominância do capital global para quase todos os cantos do planeta e – com o intuito de dar suporte a essas transformações – remodelou o sistema político. As expectativas de mudanças econômicas, políticas e sociais foram reduzidas ao longo do tempo, num processo de esvaziamento do Estado em face da redução da força e da organização dos movimentos progressistas. Conforme as grandes mobilizações das décadas de 1960 e 1970 ficavam no passado, uma nova geração cresceu com esperanças, demandas e expectativas muito reduzidas. Pela primeira vez desde meados do século XIX, parecia não haver alternativas ao capitalismo e as exceções, invariavelmente marginais, só conseguiam subsistir – de maneira precária e pouco atraente – nas fendas do admirável mundo "globalizado". A quarta edição, que oferecia uma pequena contribuição para a elaboração de respostas a esses enormes desafios, foi bem recebida por um amplo público em vários países.

A publicação da quinta e, agora, da sexta edição de nosso livro parece ter antecipado – e, espera-se, pode contribuir para – um processo de renascimento da economia política em geral e da economia política marxista em particular. Uma série de fatores fundamentam essa visão otimista.

Em primeiro lugar, embora a economia ortodoxa tenha reforçado seu domínio excludente sobre a disciplina – descartando a heterodoxia, que, segundo ela, não satisfaz as normas do rigor matemático e estatístico –, há crescentes sinais de insatisfação com a ortodoxia, bem como uma procura cada vez mais intensa de alternativas entre os que estudam economia e outras ciências sociais. Isso se manifesta, entre outras coisas, nas demandas por heterodoxia, pluralismo e alternativas no ensino de economia.

Em segundo lugar, após duas décadas de dominância do pós-modernismo e, principalmente, do neoliberalismo na definição de agendas intelectuais nas ciências sociais, vemos agora uma reação contra os extremos de seus piores excessos, tanto na teoria quanto na prática. O pensamento crítico voltou-se para a compreensão da natureza do capitalismo contemporâneo, algo que se reflete, entre outras coisas, na ascensão de conceitos como neoliberalismo, financeirização, globalização e capital social. Promove-se assim, inevitavelmente, a reflexão acerca de questões econômicas fora da própria disciplina da economia, o que, por sua vez, fomenta a busca por orientação na economia política.

Em terceiro lugar, o interesse na economia política tem sido promovido por uma série de desenvolvimentos materiais recentes. Entre eles, inclui-se a crescente percepção de que a degradação ambiental, principalmente através do aquecimento global, está intimamente relacionada ao capitalismo; as consequências do colapso da União

Soviética e o reconhecimento de que o capitalismo não forneceu uma alternativa progressista, mesmo em seus próprios e estreitos termos; e a erupção de guerras e ocupações que, mesmo quando travadas em nome do antiterrorismo ou dos direitos humanos, não escondem seu caráter imperial.

Em quarto lugar, o longo período de relativa estagnação após o colapso do *boom* do pós-guerra e a ascensão do pós-modernismo e do neoliberalismo teve o efeito paradoxal de permitir que, apesar do baixo crescimento, a economia capitalista fosse vista como minimamente bem-sucedida. A erupção das crises financeiras na última década – em particular, e de maneira mais dramática, a crise global iniciada em meados de 2007 – abalou essa perspectiva. Ela trouxe à tona o papel central desempenhado pelas finanças no capitalismo contemporâneo. As relações sistêmicas entre finanças, indústria e o resto da economia devem ocupar um lugar de destaque na temática da economia política. O capitalismo fracassou de maneira evidente em seus próprios termos, mesmo sob condições excepcionalmente favoráveis. Por isso mesmo, a defesa do socialismo precisa ser promovida como nunca antes. E essa defesa deve se fundamentar numa análise marxista, tanto por sua crítica do capitalismo quanto pela luz que ela lança sobre o potencial de alternativas.

Cada uma dessas questões é analisada em maior ou menor grau nesta nova edição. Mas o principal objetivo do livro continua sendo o de fornecer uma exposição tão simples e concisa da economia política de Marx quanto a complexidade de suas ideias permite. Como concebemos um livro curto, os argumentos são condensados, mas apresentados de maneira simples; é importante enfatizar, porém, que parte do material exigirá uma leitura cuidadosa, principalmente nos capítulos finais. Não é de surpreender que, ao longo de suas várias edições, o texto tenha crescido consideravelmente. Seu tamanho original de 25.000 palavras mais do que dobrou à medida que novos tópicos foram adicionados, com base tanto na economia política de Marx quanto em sua relevância contemporânea. Além disso, com o tempo, novos trechos foram incluídos com o intuito de ressaltar, em cada capítulo, as controvérsias e debates que permearam a recepção da obra de Marx, além de apresentar sugestões de leituras adicionais que oferecerão orientação àquelas e àqueles interessados em textos mais acadêmicos.

Infelizmente, isso fez com que edições sucessivas perdessem um pouco da simplicidade das anteriores (embora, para facilitar a leitura, notas de rodapé continuem sendo omitidas). Essas dificuldades (que esperamos não ser de grande monta) talvez sejam agravadas por referências ocasionais às diferenças entre a economia política de Marx e a economia ortodoxa, que podem complicar um pouco a leitura por parte dos não-economistas. Mas essas complexidades podem ser negligenciadas quando necessário – além de oferecer, caso haja persistência, alguns *insights* compensadores.

Esta sexta edição, cuidadosamente revisada, chega em um momento particularmente desafiador. O capitalismo neoliberal está no meio de uma crise sem precedentes, a qual não apenas revelou os limites da finança "liberalizada", mas, de maneira mais significativa, colocou o projeto neoliberal global pela primeira vez na defensiva – embora ele pareça extraordinariamente resistente.

Agora é possível para o grande público questionar abertamente a coerência e sustentabilidade do neoliberalismo, e até a conveniência do próprio capitalismo. Esses debates emergentes e o crescimento simultâneo, embora dolorosamente lento, de movimentos e organizações sociais radicais, foram apoiados pela gradual constatação de que o capitalismo tem desestabilizado fundamentalmente o meio ambiente do planeta, e de que ele representa uma ameaça imediata à sobrevivência de inúmeras espécies, inclusive a nossa.

"O Capital" de Marx não é um livro sobre o meio ambiente, nem sobre o neoliberalismo, embora inclua uma breve seção sobre o primeiro e um capítulo atualizado sobre a crise financeira global. Seus objetivos são mais estreitos e, ao mesmo tempo, mais abstratos e ambiciosos: ele analisa e explica os elementos cruciais da crítica mais sustentada, consistente e intransigente já feita do capitalismo *como um sistema* – a qual foi, originalmente, desenvolvida por Karl Marx. Conforme o capitalismo luta para conter suas crises mais recentes, crescem a relevância e a urgência dos escritos de Marx – e também a sua popularidade. Eles agora estão bem classificados em várias listas de livros mais vendidos e várias edições diferentes podem ser encontradas mesmo nas principais livrarias, não obstante o fato de que as obras de Marx estejam, também, amplamente disponíveis na internet, onde podem ser baixadas gratuitamente.

Esperamos que você faça uso dessas obras. *"O Capital" de Marx* não pretende substituir a obra original; em vez disso, nosso objetivo é facilitar sua leitura dos escritos econômicos de Marx, fornecendo uma visão estruturada de seus principais temas e conclusões. Esperamos que este livro apoie a sua própria tentativa de compreender o capitalismo, seus pontos fortes e fracos, e que ele dê suporte a suas lutas contra ele. Gostaríamos de agradecer e incentivar aqueles que continuam a estudar e ensinar seriamente a economia marxista, num período em que isso tem sido extraordinariamente difícil.

Uma nota sobre as leituras adicionais

Cada capítulo deste livro inclui uma lista de "Questões e leituras adicionais" que descreve algumas implicações do material examinado no capítulo e sugere um conjunto pequeno e cuidadosamente selecionado de leituras para ajudá-lo a se aprofundar no assunto. É claro que há muitas outras obras disponíveis e gostaríamos de receber suas sugestões de leituras que poderiam ser incluídas nas próximas edições deste livro. Envie um e-mail para nos informar caso você encontre algo especialmente útil, ou para discutir tópicos e problemas na teoria do valor ou sugerir alterações ou conteúdos adicionais que possam ser incluídos nas próximas edições. Nós gostaríamos de ouvir a sua opinião.

Para começar, algumas sugestões gerais. As obras completas de Karl Marx e Friedrich Engels ainda estão sendo publicadas em alemão e, gradualmente, estão sendo traduzidas para o inglês e outras línguas. Os trabalhos mais significativos, incluindo *O Capital*, estão disponíveis gratuitamente no *Marxists Internet Archive* (www.marxists.org)[1] e em vários outros sites. Um grande número de excelentes comentários sobre o trabalho de Marx, e um bom número de visões gerais de seus escritos econômicos, estão disponíveis em obras anglo-saxônicas, nas quais focamos abaixo. Por exemplo, Chris Arthur preparou uma edição abreviada do livro I d'*O Capital* (Arthur 1992), sem notas de rodapé e

[1] Nota dos tradutores [doravante, NT]: o sítio possui uma versão em português: https://www.marxists.org/portugues/

com uma introdução explicativa. Duncan Foley e David Harvey escreveram excelentes introduções ao trabalho de Marx.[2] Harvey também dirige um discussão on-line sobre *O Capital*.[3] Alex Callinicos (2014) e Joseph Choonara (2009) publicaram descrições muito boas da teoria do valor de Marx, que complementam (e suplementam) este livro. Um relato clássico das fontes do marxismo é fornecido por Vladimir Lenin (1913). Para uma visão mais avançada da teoria do valor de Marx, consulte Dimitris Milonakis e Ben Fine (2009), especialmente o capítulo 3, e Alfredo Saad Filho (2002). Um exercício de levantamento igualmente profundo de todo o espectro da análise econômica marxista é encontrado em Fine e Saad Filho (2012). A pesquisa em economia política marxista é promovida pela IIPPE[4] e apoiada por periódicos como *Capital and Class*, *Historical Materialism*, *Monthly Review*, *Review of Radical Political Economics* e *Science & Society*. Finalmente, para economia, notícias e análises heterodoxas (incluindo marxistas), consulte *www.heterodoxnews.com*.

Ben Fine e Alfredo Saad Filho

---

[2] FOLEY, D. *Understanding Capital:* Marx's Economic Theory. Cambridge, Mass.: Harvard University Press, 1986; HARVEY, D. *The Limits to Capital*. London: Verso, 1999; HARVEY, D. *Introduction to Marx's Capital*. London: Verso, 2009. HARVEY, D. *A Companion to Marx's Capital*. London: Verso, 2010.

[3] Disponível em: http://davidharvey.org/reading-capital/

[4] Disponível em: www.iippe.org

Capítulo I

HISTÓRIA E MÉTODO

Durante toda sua vida adulta, Marx buscou a transformação revolucionária da sociedade capitalista, evidentemente em seus escritos, mas também através da agitação e organização da classe trabalhadora – por exemplo, entre 1864 e 1876 ele foi um dos líderes da Associação Internacional dos Trabalhadores (a I Internacional). Em sua obra, Marx busca descobrir o processo geral das mudanças históricas, aplicar esse entendimento a tipos particulares de sociedade e realizar estudos concretos de situações históricas específicas. Este capítulo revisa brevemente o desenvolvimento intelectual de Marx e as principais características de seu método. O restante do livro analisa com mais detalhes outros aspectos do seu trabalho, especialmente aqueles que podem ser encontrados nos três livros d'*O Capital*, seu principal trabalho de economia política.

A filosofia de Marx

Karl Marx nasceu na Alemanha em 1818 e começou sua carreira universitária estudando Direito. Seu interesse rapidamente se voltou para a filosofia, a qual, à época, era dominada por Hegel e seus discípulos. Eles eram idealistas. Acreditavam que a realidade é o resultado da evolução de um sistema de conceitos ou do movimento rumo à Ideia

Absoluta. Nesse sentido, desenvolveram uma estrutura analítica que conectava o relativamente abstrato ao crescentemente concreto. Os hegelianos acreditavam que o progresso intelectual era capaz de explicar o progresso político, cultural e de outras formas da vida social. Portanto, o estudo da consciência era a chave para a compreensão da sociedade, e a história era um palco dramático no qual diferentes instituições e ideias disputavam a hegemonia. Nesse conflito permanente, cada etapa do desenvolvimento absorve e transforma elementos das etapas anteriores, constituindo assim um avanço em relação a estas. Noutras palavras, cada etapa do desenvolvimento contém as sementes de sua própria transformação numa etapa mais elevada. Esse processo de mudança, no qual novas ideias não propriamente derrotam as anteriores, mas resolvem os conflitos ou contradições nelas contidas, Hegel chamava de *dialética*.

Hegel morreu em 1831. Quando Marx ainda era um estudante universitário, dois grupos opostos de hegelianos, os jovens (radicais) e os velhos (reacionários), reivindicavam a sucessão legítima de Hegel. Os velhos hegelianos acreditavam que a sociedade, a religião e a monarquia absoluta da Prússia representavam a realização triunfante da Ideia em seu progresso dialético. Enquanto isso, os jovens hegelianos, perigosamente antirreligiosos, sustentavam que o desenvolvimento intelectual ainda tinha muito a avançar. Essa diferença estabeleceu o palco para uma batalha entre as duas escolas: cada lado acreditava que sua vitória anunciaria o progresso da sociedade alemã. Ao observar o absurdo, a pobreza e a degradação da vida alemã, Marx identificou-se inicialmente com os jovens hegelianos.

Contudo, sua simpatia pelos jovens hegelianos foi breve e transcorreu sob influência de Feuerbach, um materialista. Por materialista não se quer dizer que Feuerbach estivesse ordinariamente interessado em seu próprio bem estar – na verdade, suas visões dissidentes lhe custaram a carreira acadêmica. Ele acreditava que, ao invés da consciência humana dominar a vida e a existência, eram as necessidades humanas que determinavam a consciência. Em *A Essência do Cristianismo*, Feuerbach construiu uma polêmica simples, mas brilhante contra a religião. Os seres humanos precisavam de Deus porque a religião satisfazia uma necessidade emocional. Para satisfazer essa necessidade, os seres humanos projetaram suas melhores qualidades em uma figura divina, venerando o que eles imaginativamente criaram no pensamento, a tal ponto que Deus assumiu uma existência independente na consciência humana. Para reconquistar sua humanidade, as pessoas precisariam substituir seu amor por Deus pelo amor entre si.

Marx foi imediatamente convencido por essa ideia. Inicialmente, ele criticou Feuerbach por ver as pessoas como indivíduos que lutam para realizar uma dada "natureza humana", e não como seres sociais. Em seguida, Marx foi além do materialismo humanista feuerbachiano. Em primeiro lugar, ele estendeu a compreensão da filosofia materialista a todas as ideias que prevalecem na sociedade, passando da religião à ideologia e às concepções das pessoas em relação à sociedade como um todo. Em segundo, ele aplicou as ideias de Feuerbach à história. As análises de Feuerbach tinham sido inteiramente a-históricas e não-dialéticas: os seres humanos satisfazem uma necessidade emocional pela religião, mas as origens e a natureza dessa necessidade permanecem inexplicadas e imutáveis, seja ela satisfeita por Deus ou de outra forma. Marx vê a solução para esse problema nas condições materiais. A consciência humana é crucial no pensamento de Marx, mas ela só pode ser entendida em relação a circunstâncias históricas, sociais e materiais. Dessa forma, Marx estabeleceu uma relação próxima entre dialética e história, que se tornaria a pedra angular de seu próprio método. A consciência é primordialmente determinada pelas condições materiais, mas estas evoluem dialeticamente através da história humana.

Essa concepção revela uma característica comum entre os pensamentos de Hegel, de seus vários discípulos e de Marx, qual seja, as coisas nem sempre aparecem imediatamente como são. Para Feuerbach, por exemplo, Deus não existe senão na mente, mas parece existir ou assume-se que exista como um ser independente; dessa maneira, ele se torna capaz de satisfazer uma necessidade humana. Sob o capitalismo, um mercado de trabalho livre oculta a exploração; a existência da democracia política cria a impressão de igualdade, ocultando a realidade das instituições políticas que apoiam a reprodução do poder desigual e dos privilégios. Esse divórcio entre a realidade (conteúdo ou essência) e o modo como ela aparece (forma) é um aspecto central do pensamento dialético de Marx. Ele forja a relação entre conceitos abstratos (como classe, valor e exploração) e sua presença na vida cotidiana (por meio de salários, preços e lucros).

A tarefa que Marx se propõe, primordialmente no que se refere ao capitalismo, é a de traçar a conexão e as contradições entre o abstrato e o concreto. Ele reconhece isso como algo extremamente difícil, uma vez que, em suas próprias palavras (no prefácio de 1872 à edição francesa d'O *Capital*), "não há estrada real [royal] para a ciência". O projeto envolve a adoção de um método apropriado, a escolha cuidadosa do ponto de partida nos conceitos abstratos (o ponto de partida da análise) e um desdobramento cuidadoso do conteúdo histórico e lógico de cada novo conceito, a fim de revelar a relação entre a maneira como as coisas são e a maneira como parecem ser.

De forma significativa, como ficará claro a partir da discussão de Marx sobre o fetichismo da mercadoria (no capítulo 2), as aparências não são necessariamente apenas falsas ou ilusórias – como, por exemplo, as crenças religiosas na existência de Deus. Nós não podemos apenas esconjurar os salários, os lucros e os preços, mesmo quando os reconhecemos como a forma na qual o capitalismo organiza a exploração, assim como não podemos nos livrar dos poderes do monarca ou do padre tornando-nos republicanos ou ateus. Pois, no caso dos salários, preços e lucros, as aparências são parte integrante da própria realidade. Eles representam e, simultaneamente, ocultam os aspectos mais fundamentais do capitalismo, e apenas uma dialética apropriada pode desvelá-los. Como desatar toda essa complexidade?

O método de Marx

Em contraste com seus extensos escritos sobre economia política, história, antropologia, análise conjuntural e outros temas, Marx nunca escreveu um ensaio detalhado sobre seu próprio método. Isso se deve ao fato de que seu trabalho é principalmente uma crítica do capitalismo e seus apologistas. Em sua obra, a metodologia tem um papel essencial, mas subsidiário, pois está invariavelmente submersa no próprio argumento. Isso sugere que o método de Marx não pode ser resumido em um conjunto de regras universais: aplicações específicas da sua dialética materialista devem ser desenvolvidas conforme o problema a ser analisado. O exemplo mais conhecido da aplicação do método de Marx é seu exame crítico do capitalismo em *O Capital*. Neste trabalho, a abordagem de Marx tem cinco características fundamentais. Elas serão examinadas e clarificadas, frequentemente de maneira implícita, ao longo do texto que se segue (como, de fato, elas aparecem nos próprios escritos de Marx).

Em primeiro lugar, processos e fenômenos sociais existem e podem ser entendidos apenas em seu contexto histórico. Generalizações trans-históricas, supostamente válidas em todos os lugares e por todo o tempo, são normalmente vazias de conteúdo ou simplesmente inválidas. As sociedades humanas são imensamente elásticas. Elas podem ser organizadas de maneiras profundamente distintas e apenas análises detalhadas podem levar a conclusões válidas sobre sua estrutura, funcionamento, contradições, limites internos e mudanças. Em particular, Marx considera que as sociedades se distinguem pelo modo de *produção* sob o qual estão organizadas – o feudalismo em contraste com o capitalismo, por exemplo – e que diferentes formas de modo de produção emergem em períodos e lugares distintos.

Cada modo de produção é estruturado de acordo com as suas próprias relações de classe, para as quais há categorias de análise apropriadas. Assim como o trabalhador assalariado não é um servo, e muito menos um escravo a quem se paga um salário, um capitalista também não é um barão feudal recebendo lucro no lugar de tributos. As sociedades são diferenciadas pelas formas de propriedade, pelos modos de produção e pelas modalidades de extração de excedente sob os quais elas se organizam (ao invés das estruturas de distribuição), e os conceitos usados para compreendê-los devem ser igualmente específicos.

Em segundo lugar, a teoria se torna inválida se é levada além de seus limites históricos e sociais. Essa é uma consequência da necessidade de que os conceitos sejam derivados das sociedades que eles pretendem representar. Por exemplo, Marx afirma que, no capitalismo, os trabalhadores são explorados porque produzem mais valor do que aquele de que se apropriam através dos salários (ver capítulo 3); isso dá origem ao mais-valor. Essa conclusão, como a noção correspondente de mais-valor, é válida apenas para sociedades capitalistas. Ela pode lançar alguma luz sobre a exploração em outras sociedades, mas os modos de exploração e as raízes das mudanças sociais e econômicas naquelas sociedades devem ser investigados de maneira distinta – a análise do capitalismo, mesmo quando correta, não fornece automaticamente os princípios para se entender sociedades não-capitalistas.

Em terceiro lugar, a análise de Marx é estruturada internamente pelas relações entre teoria e história. Em contraste com o idealismo hegeliano, o método de Marx não se baseia em derivações conceituais. Para Marx, o raciocínio puramente conceitual é limitado, pois é impossível demonstrar como e por que as relações que se desenvolvem no pensamento do analista devem corresponder às relações do mundo real. De forma mais geral, o idealismo erra porque busca explicar a realidade primordialmente pela análise conceitual, embora a realidade exista histórica e materialmente fora da cabeça pensante. Jocosamente, Marx sugeriu que os jovens hegelianos seriam capazes de abolir a lei da gravidade se deixassem de acreditar nela! Diversamente, Marx reconhece que a realidade é moldada por estruturas sociais, tendências e contratendências (as quais podem ser derivadas dialeticamente a partir de uma análise adequada), e também por contingências imprevisíveis (que são historicamente específicas e não podem ser derivadas da mesma forma). Os resultados das interações entre elas podem ser explicados à medida que se manifestam, bem como retrospectivamente, mas eles não podem ser determinados previamente. Consequentemente, embora a dialética materialista possa ajudar na compreensão tanto do passado quanto do presente, é impossível prever o futuro (a análise de Marx da lei da queda tendencial da taxa de lucro e de suas contratendências é um exemplo revelador de sua abordagem; ver capítulo 9). O reconhecimento de Marx de que a análise histórica é inerente ao método de investigação (ou de que a história e a lógica são inseparáveis) não é uma concessão ao empirismo; ele apenas admite que uma realidade cambiante não pode ser reduzida a – e muito menos ser determinada diretamente por – um sistema de conceitos.

Em quarto lugar, a dialética materialista identifica os conceitos, estruturas, relações e níveis de análise necessários para a explicação da realidade concreta ou de aspectos mais complexos e específicos dessa realidade. N'O *Capital*, Marx emprega a dialética materialista para identificar as características essenciais do capitalismo e suas contradições, para explicar a estrutura e a dinâmica desse modo de produção e para localizar as fontes potenciais de mudanças históricas, em particular as lutas de classe e sua representação em amplos conflitos econômicos, políticos e ideológicos. Seu estudo traz sistematicamente à tona conceitos mais complexos e concretos, que são usados para reconstruir idealmente os processos reais do capitalismo. Esses conceitos ajudam a explicar o desenvolvimento histórico do modo de produção capitalista, indicando suas contradições e vulnerabilidades. Com isso, sempre coexistem, na análise de Marx, conceitos em níveis distintos de abstração. O progresso teórico inclui a introdução de novos conceitos, o refinamento e a reprodução de conceitos relativamente abstratos em formas mais complexas e concretas e a introdução de evidências históricas para fornecer uma descrição mais rica e específica da realidade.

Por fim, o método de Marx enfatiza a mudança histórica. No *Manifesto Comunista*, no refácio à *Contribuição à Crítica da Economia Política* e na introdução aos *Grundrisse*, Marx notoriamente resume sua concepção da relação entre as estruturas de produção, as relações sociais (especialmente de classe) e as mudanças históricas. O ponto de vista de Marx tem sido, às vezes, interpretado mecanicamente, como se o desenvolvimento supostamente unilinear da tecnologia guiasse de forma direta as mudanças sociais, ou seja, como se essas fossem estritamente determinadas pelo desenvolvimento da produção. Essa interpretação de Marx está equivocada. Há complexas relações entre tecnologia, sociedade e história (e outros fatores), mas de maneiras que são invariavelmente influenciadas pelo modo de organização social e, especificamente, pelas relações de classe e pelas lutas de classe. Por exemplo, sob o capitalismo o desenvolvimento tecnológico é primordialmente impulsionado pelo imperativo de lucro em todas as esferas de atividade. Sob o feudalismo, a produção de bens de luxo, a provisão de serviços (militares) e, até certo ponto, implementos agrícolas, são cruciais. Na ausência relativa da motivação de lucro, e dada a inflexibilidade comparativa do modo de organização social, existe um escopo limitado para os avanços tecnológicos. Em contraste, Marx argumenta que, em sociedades socialistas (comunistas), o desenvolvimento tecnológico seria dedicado a eliminar tarefas repetitivas, fisicamente desgastantes, arriscadas e insalubres, reduzir o tempo geral de trabalho, satisfazer as necessidades básicas e desenvolver o potencial humano (ver capítulo 15).

A economia de Marx

Em 1845-6, quando escrevia *A Ideologia Alemã*, em coautoria com Engels, e as *Teses sobre Feuerbach*, Marx já tinha começado a ser influenciado pelos socialistas franceses, cujas ideias não podem ser discutidas aqui em detalhe. Basta dizer que eles foram influenciados pela herança radical da Revolução Francesa e o fracasso da sociedade burguesa emergente em realizar as demandas de "*liberté, égalité, fraternité*". Os socialistas franceses também estavam profundamente envolvidos na política de classes e muitos acreditavam na necessidade e possibilidade da tomada revolucionária de poder pelos trabalhadores.

A síntese de Marx entre a filosofia alemã e o socialismo francês teria permanecido incompleta sem sua crítica da economia política britânica, que ele estudou posteriormente, especialmente durante seu longo exílio em Londres, de 1849 até sua morte em 1883. Dadas as suas concepções de filosofia e história, explicadas acima, foi natural para Marx voltar sua atenção à economia, a fim de entender a sociedade capitalista contemporânea e identificar seus pontos fortes e limitações, bem como seu potencial para se transformar numa sociedade comunista. Para tanto, ele mergulhou na economia política britânica, em particular desenvolvendo a teoria do valor-trabalho a partir dos escritos de Adam Smith e, especialmente, David Ricardo. Para Marx, é insuficiente, como supõe Ricardo, basear a fonte do valor no tempo de trabalho na produção, pois Ricardo aceita a existência *per se* de trocas, preços e mercadorias. O fato de que as mercadorias adquirem um valor maior quando incorporaram mais trabalho suscita, todavia, as questões de por que as mercadorias existem e por que se deveria supor que, em geral, as mercadorias devessem ser trocadas proporcionalmente ao tempo de trabalho necessário à sua produção. Isso antecipa o próximo capítulo, mas ilustra uma característica central do método de Marx e uma crítica comum que ele fez a outros autores. Marx considera que os demais economistas não estavam equivocados apenas no que se refere ao conteúdo; a análise deles era também inadequada em termos de suas intenções. O que os economistas tendem a supor como características atemporais dos seres humanos e das sociedades, Marx estava determinado a identificar e entender em seu contexto histórico.

Marx presume, sim, a necessidade de a sociedade como um todo trabalhar a fim de produzir e consumir. Contudo, as maneiras pelas quais a produção é organizada e o produto é distribuído devem ser investigadas. De forma breve, Marx argumenta que, quando estão (ou não) trabalhando – isto é, produzindo as condições materiais para sua reprodução continuada –, as pessoas entram em relações sociais específicas umas com as outras: como escravos ou mestres, servos ou senhores, assalariados ou capitalistas, e assim por diante. As formas de vida são determinadas por aquelas condições sociais de produção e pelas posições a serem preenchidas em torno delas. Essas relações existem independentemente das escolhas individuais, muito embora tenham sido estabelecidas no curso do desenvolvimento histórico da sociedade (por exemplo, ninguém pode "escolher" ocupar a posição social de senhor de escravos nas atuais sociedades capitalistas; nem mesmo a "escolha" entre ser um capitalista ou um assalariado não está livremente disponível, muito menos em bases iguais para todos).

Em todas as sociedades, exceto as mais simples, as relações sociais de produção características de um modo de produção específico (feudalismo, capitalismo etc.) são melhor compreendidas como relações de classe. Essas relações são a base sobre a qual a sociedade é construída e se reproduz ao longo do tempo. Assim como os direitos de propriedade, de compra e de venda são características jurídicas fundamentais da sociedade capitalista, as obrigações de vassalagem, religiosas ou tributárias são os fundamentos legais do feudalismo. Ademais, formas políticas, jurídicas, culturais e distributivas também são estabelecidas e tendem a enviesar o entendimento da própria sociedade e a desencorajar visões alternativas, seja pelos costumes ou pela moral, educação, Direito etc. O servo tende a se sentir vinculado ao mestre e ao rei pela lealdade e pela igreja, e qualquer hesitação pode ser severamente punida. O assalariado, por sua vez, possui, ao mesmo tempo, a liberdade para e a necessidade de vender sua força de trabalho. Certamente, podem existir lutas por salários mais altos. Mas tais lutas não questionam o sistema salarial ou a estrutura jurídico-institucional que o sustenta, limitando-se a modificar na margem as negociações coletivas e a influenciar o desenvolvimento dos sistemas de seguridade social e de crédito, entre outras coisas. Por outro lado, sondar a *natureza* do capitalismo é malvisto pelas autoridades, pela mídia, pelos juristas e por outras vozes dominantes da sociedade. Enquanto a dissidência individual é normalmente tolerada, grandes organizações e movimentos de massa anticapitalistas são reprimidos ou pressionados à conformidade, por exemplo, canalizando o protesto para formas sistemicamente aceitáveis.

Nesse contexto, Marx censura os economistas políticos clássicos e os utilitaristas por suporem que certas características do comportamento humano, como o autointeresse ou a ganância, são traços permanentes da "natureza humana", quando na realidade são características, motivações ou condutas que emergem nos indivíduos em razão de sua existência em sociedades específicas. Aqueles teóricos também dão por certas determinadas propriedades da sociedade capitalista que Marx considerou necessário explicar: o monopólio dos meios de produção (matérias-primas, maquinaria, fábricas etc.) por uma pequena minoria, o emprego assalariado da maioria, a distribuição dos produtos através de trocas monetárias e a remuneração envolvendo as categorias econômicas do preço, lucro, juros, renda, salário, tarifas e transferências.

A teoria do valor de Marx é uma contribuição fundamental às ciências sociais na medida em que examina as relações que as pessoas estabelecem entre si, em vez das relações técnicas entre as coisas ou a arte de economizar. Marx não está interessado em construir uma teoria dos preços, um conjunto de "critérios de eficiência" válidos em todo lugar e todas as épocas ou uma série de proposições de bem-estar. Ele nunca quis ser um "economista" ou mesmo um economista político clássico (britânico). Marx foi um cientista social crítico, cujo trabalho transpõe e rejeita as barreiras que separam as disciplinas acadêmicas. As questões cruciais para Marx dizem respeito à estrutura interna e às fontes de estabilidade e de crise no capitalismo, e como a vontade de mudar o modo de produção pode se converter em uma atividade transformadora exitosa (revolucionária). Essas questões permanecem válidas no século XXI.

Questões e leituras adicionais

Diversas biografias de Karl Marx estão disponíveis; ver, por exemplo, Mary Gabriel (2011), David McLellan (1974), Franz Mehring (2003) e Francis Wheen (2000). A trajetória intelectual de Marx é revisada por Allen Oakley (1983, 1984, 1985) e Roman Rosdolsky (1977). A história da economia marxista é analisada extensivamente por Michael Howard e John King (1989, 1991); ver também Ben Fine e Alfredo Saad Filho (2012). Os conceitos-chave na literatura marxista são explicados claramente em Tom Bottomore (1991).

Embora Marx raramente discuta seu próprio método, há significativas exceções na introdução de Marx (1981), nos prefácios e posfácios à Marx (1976), e no prefácio à Marx (1987). A literatura e as controvérsias subsequentes mais do que compensaram a aparente negligência de Marx. Quase todos os aspectos do seu método foram submetidos a exame minucioso e interpretações divergentes tanto por defensores quanto por críticos. Nossa apresentação aqui é constrangedoramente simples e superficial diante da amplitude e profundidade desses temas. Ben Fine (1980, cap.1, 1982, cap.1) e Alfredo Saad Filho (2002, cap.1) devem ser consultados para uma compreensão mais extensiva do método de Marx. Outros autores examinaram detalhadamente o papel da classe, dos modos de produção, da dialética, da história, da influência de outros pensadores – e assim por diante – na obra de Marx. Chris Arthur escreveu extensivamente sobre o método de Marx (por exemplo, Arthur 2002); ver também os ensaios em Andrew Brown, Steve Fleetwood e Michael Roberts (2002), Alex Callinicos (2014), Duncan Foley (1986, cap.1), Fred Moseley (1993) e Roman Rosdolsky (1977, parte 1). Interpretações mecanicistas de Marx, como a determinação causal rígida entre relações de classe e fatores econômicos, são criticadas meticulosamente por Ellen Meiksins Wood (1984, 1995), Michael Lebowitz (2009, parte 2) e Paul Blackledge (2006). As raízes históricas da economia política marxiana são revisadas por Dimitris Milonakis e Ben Fine (2009), com desenvolvimentos subsequentes dentro da economia ortodoxa examinados em Ben Fine e Dimitris Milonakis (2009).

Capítulo II
PRODUÇÃO DE MERCADORIAS

Marx é conhecido por seu compromisso com aquilo que se supõe ser *a* teoria do valor-trabalho. Diferentes aspectos de sua análise do valor e do capital(ismo) têm sido objeto de controvérsias ferozes, tanto entre os apoiadores quanto entre opositores de Marx. Há também controvérsias – e estas se relacionam intimamente, mas não se confundem com as anteriores – entre as diferentes interpretações do que ele realmente quis dizer: os comentaristas discordam tanto sobre o que Marx disse quanto a respeito da correção do que ele disse. Como resultado, há várias interpretações da teoria do valor-trabalho, muitas das quais são atribuídas a Marx por ignorância, desejo de descartá-lo ou, perversamente, para defendê-lo. Além disso, muitas vezes é possível entender as polêmicas sobre a economia política de Marx a partir das divergências sobre sua teoria do valor. Duas questões têm sido fundamentais nesses debates ainda em aberto: Marx teria privilegiado indevidamente o trabalho ao adotar a teoria do valor-*trabalho*? E quão bem essa teoria funciona como uma teoria dos *preços*?

O propósito deste capítulo é o de embarcar em uma jornada analítica que será desenvolvida ao longo de todo o livro. Proporemos várias questões à teoria do valor-trabalho, algumas dirigidas ao método, e outras ao conteúdo da obra de Marx. Para ele, a teoria do valor-trabalho não pode ser comprovada através de feitiçarias conceituais, nem por acrobacias técnicas ou algébricas. Pelo contrário, a teoria do valor de Marx visa reproduzir cognitivamente – em níveis crescentes de complexidade – as principais estruturas, processos e relações econômicas da sociedade capitalista (ver capítulo 1). A teoria do valor de Marx e as interpretações sobre ela devem ser avaliadas com base nesse teste. Essa teoria parte de premissas simples, que são o foco do presente capítulo, e se torna cada vez mais rica e sofisticada à medida que se desdobra, gradualmente, para confrontar, explicar e incorporar as complexidades do próprio capitalismo. Em capítulos posteriores, mostraremos que esses desenvolvimentos não negam a teoria do valor de Marx. Pelo contrário, eles confirmam sua consistência interna e seu poder explicativo, mas dentro de limites que precisam ser reconhecidos para evitar "reducionismos", isto é, a noção de que "tudo" pode ser explicado pela teoria do valor. Trata-se, portanto, da capacidade de incorporar mais material historicamente específico com o fim de levar a teoria adiante.

A teoria do valor-trabalho

Ao analisar um modo de produção, como o capitalismo, o ponto de partida de Marx é sempre: como as sociedades capitalistas produzem as condições materiais de sua própria reprodução?

Em qualquer sociedade, a produção cria valores de uso, isto é, coisas úteis como alimentos, roupas e casas, assim como produtos imateriais como serviços de educação e saúde, que são (mais ou menos) necessários para a existência continuada da sociedade. Desta forma, a divisão do trabalho e a produção de valores de uso são características permanentes da organização humana desde nossa origem como espécie. Mas quem produz o que e como, e com quais implicações para a economia e a sociedade, são questões cruciais para todas as ciências sociais. Diversas disciplinas e ideologias têm oferecido diferentes respostas, que variam da ordem natural à tradição (religiosa), passando pela busca do interesse próprio até a ideia da necessidade como mãe da invenção. A teoria econômica dominante (ortodoxa e neoclássica) tomou a necessidade de consumo e a capacidade humana de fazer escolhas como justificadoras de uma abordagem ou método universal, no qual a economia é a ciência preocupada com a alocação de recursos escassos para atender a necessidades insaciáveis. Se a economia é organizada por meio do Estado, da unidade familiar ou da escravidão, por exemplo, é mero detalhe perante a dualidade fundamental entre escassez e necessidade, que é o foco central da economia neoclássica e fornece o critério com o qual se mede a eficiência relativa dos modos de se organizar a sociedade e suas partes integrantes, como as empresas, as famílias ou o governo.

Em contraste, para Marx, as relações sociais, especialmente de classe, são essenciais para distinguir uma economia de outra e revelar diferenças internas a uma mesma economia. Isso envolve questões a respeito das relações de propriedade e de distribuição que definem os modos de produção (ou quem é dono do quê, e por quê), de como a propriedade é distribuída e organizada, e dá origem a formas de controle do trabalho e seus produtos, dentre outros aspectos da organização social. Desta forma, por exemplo, uma característica crucial do capitalismo é que ele é um sistema altamente desenvolvido de produção de *mercadorias*. Mas qual a importância da mercadoria? Seguindo Adam Smith, Marx distingue entre o valor de uso e o valor de troca em cada mercadoria. De um lado, sua utilidade, que em geral não pode ser quantificada; de outro, a capacidade de troca com outras mercadorias, que pode ser quantificada. Cada mercadoria possui um valor de uso, ou capacidade de satisfazer necessidades humanas, sem a qual ela não poderia ser vendida e, portanto, não seria produzida para a venda. Mas nem todo valor de uso é uma mercadoria; por exemplo, valores de uso que são naturalmente criados, que estão livremente disponíveis ou não são trocados por dinheiro no mercado não têm valor de troca (por exemplo, a luz, o ar, os espaços abertos, as frutas silvestres, a produção para uso pessoal, a produção para ou em benefício de parentes ou amigos, os "bens públicos", incluindo o acesso às ruas ou os sistemas públicos e gratuitos de saúde e educação).

O valor de troca corporifica uma relação de equivalência entre objetos. Essa relação deve satisfazer certas propriedades com as quais nos familiarizamos quotidianamente, em especial no mercado e nos cálculos comerciais. Por exemplo, se x é trocado por y (o que pode ser representado por $x \sim y$), então, em geral, $2x \sim 2y$. Se, além disso, $u \sim v$, então (u e x) $\sim$ (v e y), e assim por diante. Há um número ilimitado de relações que satisfazem essas propriedades, como, por exemplo, o peso ou o volume. A questão que Marx procura responder é: qual relação social pode fornecer a base para trocas mercantis sistemáticas (ao invés de fortuitas) e, de maneira mais geral, para a reprodução social nas circunstâncias históricas específicas do capitalismo? O que permite às mercadorias serem equivalentes na troca? No caso do peso ou do volume, a equivalência se deve a propriedades físicas ou naturais (massa e tamanho, respectivamente). Tais propriedades existem independentemente de se e como serão medidas, e independem da troca e do modo de produção. Ademais, embora toda mercadoria seja caracterizada por suas propriedades físicas particulares, que, em parte, lhe conferem valor de uso (a outra parte de seu valor de uso é derivada da cultura de consumo e uso), seu valor de troca não tem relação com essas propriedades. Como visto, as coisas mais úteis (ar, luz do sol e água) frequentemente têm pouco ou nenhum valor de troca.

O que cria a relação de troca, então, não é uma relação física entre bens, mas uma relação social historicamente específica, sobretudo a maneira como a produção de valores de uso é organizada – para o mercado e, geralmente, para o lucro, no caso de mercadorias produzidas em sociedades capitalistas. A economia neoclássica começou recentemente a prestar atenção a esse ponto, ao admitir que as instituições, a confiança, a cultura etc. influenciam as trocas, sobretudo porque os mercados são, invariavelmente, "imperfeitos" de alguma maneira. O argumento neoclássico, porém, está na ordem inversa. Antes de examinar as instituições como respostas às imperfeições do mercado, o próprio mercado precisa ser explicado como uma "instituição". Em sua essência, os mercados não são meras estruturas neutras de troca, mas são distintos em cada caso, uma vez que refletem as relações sociais que os sustentam; isso pode ser observado, por exemplo, nas diferenças entre os mercados de divisas, petróleo, computadores e gêneros alimentícios.

Isso leva Marx a sugerir que, subjacente à equivalência entre mercadorias como valores de uso, há uma relação social entre os produtores daquelas mercadorias. Isso porque, para Marx, é inquestionável que, ao longo da história, as pessoas vivem por seu trabalho: se todos parassem de trabalhar, nenhuma sociedade sobreviveria mais do que alguns dias. Além disso, salvo nas sociedades mais simples, sempre houve os que viveram sem trabalhar, isto é, os que viveram por meio do trabalho de outros. Entretanto, a apropriação do trabalho de uma pessoa (ou de seus produtos) por outros assume formas distintas e é justificada de diferentes maneiras. Sob o feudalismo, os produtos são geralmente distribuídos por apropriação direta justificada pelo direito feudal ou divino. No capitalismo, os produtos do trabalho geralmente assumem a forma de mercadorias, e tipicamente são distribuídos por trocas mercantis. No capítulo 3, discutiremos como essa liberdade de mercado promove a apropriação do trabalho de uma classe por outra. Antes disso, porém, é necessário enfrentar a seguinte questão: em uma sociedade produtora de mercadorias, o que há de especial na produção e no trabalho?

Para responder a essa pergunta, Marx define as mercadorias como *valores de uso produzidos pelo trabalho com a finalidade de troca.* Isso significa que nem tudo que é trocado, mesmo pelo mercado, é necessariamente uma mercadoria. Talvez esse postulado seja relativamente fácil de se aceitar no caso de subornos, bens de segunda mão comercializados de modo casual ou obras de arte, embora cada um deles venha a comandar um preço (i.e. assumir a forma de mercadoria) à sua própria maneira. Para Marx, no entanto, esses fenômenos são relativamente desimportantes, pois tais bens e serviços não desempenham papeis fundamentais na reprodução econômica e social e, portanto, devem ser abstraídos causal e analiticamente quando se aborda a produção de mercadorias em geral e sob o capitalismo em particular.

Uma propriedade essencial e comum a todas as mercadorias é a de que são produtos do trabalho. Essa propriedade se apoia na ideia fundamental de que as sociedades não podem viver (e os lucros não podem surgir) somente pela troca, mas, inversamente, trocas sistemáticas devem estar baseadas em um modo de produção específico a fim de sustentarem a si mesmas (e à sociedade). Por razões análogas, nas sociedades produtoras de mercadorias, os trabalhos concretos (produzindo valores de uso específicos) não são realizados casualmente, mas como parte de uma intrincada divisão social do trabalho que os conecta uns com os outros através do mercado, isto é, pela troca de seus produtos por dinheiro.

Essa é uma relação social qualitativa e impessoal. Por exemplo, nós geralmente compramos mercadorias sem saber nada sobre como e quem as produziu, pois a produção de mercadorias requer uma divisão do trabalho interna aos locais de produção e entre distintas unidades produtivas, na qual trabalhos diferentes são desenvolvidos, reunidos e mensurados uns em relação aos outros, ainda que de maneira mediada pelo mercado. Esse processo social é a base da teoria do valor-trabalho. Ele incorpora relações que podem ser quantificadas teoricamente pela análise da troca do ponto de vista do tempo de trabalho socialmente (ao invés de individualmente) necessário para produzir mercadorias, como, por exemplo, a comparação entre a quantidade de tempo de trabalho necessária para assar um pão e costurar uma camisa (e, igualmente importante, como tais tempos de trabalho são determinados e alterados pelas mudanças tecnológicas, dentre outras). Portanto, para Marx, a teoria do valor-trabalho não é uma noção metafísica. Pelo contrário, ela captura analiticamente os aspectos centrais da vida material no capitalismo, isto é, como a produção é organizada e vinculada ao mercado, e como os produtos do trabalho social estão relacionados uns com os outros, como são apropriados e como são distribuídos na sociedade.

Marx percebe que, nas sociedades capitalistas, onde os produtos assumem tipicamente a forma de mercadorias, a produção não é primordialmente realizada para o uso direto ou imediato, mas para a troca com o fim da obtenção de lucro. O capitalismo é um sistema que visa produzir valores de uso sociais – valores de uso para pessoas desconhecidas, devido ao anonimato do mercado. A produção de valores de uso sociais, as trocas mercantis e a realização de lucro estão intimamente ligadas entre si. Mas, assim como produtos corporificam valores de uso sociais, eles são também criados pelo trabalho social abstrato (por assalariados desconhecidos, contratados no mercado de trabalho e disciplinados, dentro das empresas concorrentes pelo imperativo do lucro e, fora delas, pelo sistema de crédito e o mercado de ações). Dessa maneira, os produtos do trabalho concreto contam como trabalho social abstrato nas sociedades capitalistas, e a troca não diz respeito ao tipo de trabalho concreto, mas apenas à quantidade de trabalho abstrato, expressa pelos preços das mercadorias. Na troca, o montante que você deve pagar não se relaciona ao valor de uso que você quer – seja o tempo de trabalho despendido por um padeiro, alfaiate, motorista de ônibus ou programador de computador –, mas à quantidade de tempo de trabalho abstrato (socialmente necessário, ao invés de individual e concreto) despendida.

Para Marx, o valor de uma mercadoria é o tempo de trabalho socialmente necessário para produzi-la, incluindo a quantidade de trabalho direto (vivo) e indireto (morto ou pretérito), ou seja, o tempo de trabalho necessário para produzir os meios de produção requeridos pela mercadoria.

Não se sugere com isso que as mercadorias precisam ser trocadas aos seus valores. Os preços de mercado são afetados pelas proporções entre trabalho indireto e direto, pela escassez, habilidades, monopólios, gostos e por variações mais ou menos acidentais na oferta e demanda, além da equalização dos lucros entre setores concorrentes (ver capítulo 10). Essas influências contingentes têm sido o principal objeto de estudo dos economistas ortodoxos desde a revolução marginalista (neoclássica) da década de 1870, com pouco avanço em relação às ideias de Adam Smith dos anos 1770, salvo a crescente sofisticação matemática. Marx não ignorava esses complicadores, mas tampouco os colocava no centro das atenções, posto que são irrelevantes para desvelar as relações sociais de produção específicas ao capitalismo. Se tal desvelamento não pode ser feito com base na premissa de que as mercadorias são trocadas por seus valores, ele certamente não pode ser feito em casos mais complicados, quando elas não o são. Ao longo deste livro, salvo indicação em contrário, se supõe que as mercadorias são trocadas por seus valores. Isso não deve ser interpretado como uma teoria completa dos preços, mas como uma tentativa de entender a natureza do *sistema* de preços e os processos essenciais que sustentam a reprodução econômica das sociedades capitalistas.

Assim, o capitalismo, como produção generalizada de mercadorias visando o lucro, é caracterizado pela produção de valores de uso sociais e, portanto, pela troca de produtos de trabalhos concretos que existem, e contribuem para o valor, enquanto trabalho social abstrato. Metodologicamente, não se trata aqui de uma imposição analítica da noção de valor, mas simplesmente de uma reflexão do que o sistema de mercado realmente *faz*. Ele conecta trabalhos concretos entre si e os mede uns em relação aos outros. Marx não baseou seu conceito de valor em uma elaboração mental apartada do mundo real e ancorada em presunções arbitrárias (inventadas) que visassem adaptar a realidade às arbitrariedades de uma teoria. Pelo contrário, seu argumento é baseado no *fato* de que a redução de todos os tipos de trabalho a um padrão comum (de preços) é um efeito necessário e espontâneo do mundo real no próprio capitalismo. Conforme a análise metodológica desenvolvida no capítulo 1, a teoria do valor-trabalho de Marx reproduz cognitivamente a maneira pela qual o capitalismo *efetivamente* organiza a produção dos bens e serviços necessários à reprodução social. Ela reconhece que a relação entre mercadorias como valores de uso (seus preços relativos) é o resultado de uma relação social subjacente entre os produtores que expressa a equivalência entre seus próprios trabalhos concretos qualitativamente diferentes como trabalho social abstrato. O ponto relevante aqui é que a relação entre troca, preço e valor não é exclusivamente, ou sequer primordialmente, quantitativa; pelo contrário, ela reflete relações sociais definidas de produção, distribuição e troca. São essas relações que precisam ser entendidas.

Trabalho e força de trabalho

A seção anterior mostrou que, em sociedades capitalistas, a troca de diferentes tipos de produtos do trabalho ocorre por meio da troca de mercadorias. Isso poderia ocorrer sem o capitalismo, por exemplo, se os membros de uma sociedade hipotética de artesãos independentes trocassem seus produtos diretamente – o que é frequentemente denominado de produção simples de mercadorias. Contudo, isso é mais uma possibilidade lógica do que um modo de produção historicamente dominante em algum momento. Este experimento mental serve para destacar que aquilo que caracteriza o capitalismo *não* é a troca de produtos, mas a compra e venda da capacidade de trabalho dos trabalhadores e seu uso na produção de mercadorias para o lucro.

Para distinguir os trabalhadores em si de sua habilidade ou capacidade de trabalhar, Marx chamou essa capacidade de *força de trabalho*, e sua execução ou aplicação de *trabalho*. Esses conceitos são muito importantes para a teoria do valor-trabalho, mas são frequentemente entendidos incorretamente.

A característica distintiva mais importante do capitalismo é que a força de trabalho se torna uma mercadoria. O capitalista é o comprador; o trabalhador, o vendedor; e o salário é o preço da força de trabalho. O trabalhador vende sua força de trabalho ao capitalista, que determina como essa capacidade deve ser exercida como trabalho, com a finalidade de produzir mercadorias específicas. Como qualquer outra mercadoria, a força de trabalho tem um valor de uso: o valor de uso da força de trabalho é a criação de outros valores de uso. Essa capacidade humana não depende do tipo de sociedade em que a produção ocorre. Todavia, no capitalismo, os valores de uso são produzidos para a venda e, como tal, corporificam valor ou tempo de trabalho abstrato. Nesse caso, a mercadoria força de trabalho também tem o valor de uso específico de ser a fonte de valor, quando ela é aplicada como trabalho. Nisto, a força de trabalho é única: o consumo de todos os insumos contribui para a produção do bem final, mas apenas o consumo de força de trabalho *também* acrescenta valor ao produto, enquanto tempo de trabalho.

Na sociedade capitalista, o trabalhador não é um escravo no sentido convencional da palavra que seria vendido como uma mercadoria qualquer. Pelo contrário, o trabalhador possui e vende a sua força de trabalho. O período de tempo pelo qual a venda é feita ou formalmente contratada é frequentemente bastante curto (uma semana, um mês ou, às vezes, apenas o tempo necessário para a realização de uma tarefa específica – por exemplo, nos assim chamados "contratos de zero horas"[5]). Apesar disso, em outros aspectos os trabalhadores assalariados são como

[5] NT: Comuns no Reino Unido, e com algumas variações em outros países, os "contratos de zero hora" são contratos nos quais o empregador não está obrigado a oferecer qualquer tempo mínimo de trabalho, e o trabalhador não está obrigado a aceitar as horas eventualmente oferecidas. O trabalhador normalmente fica na expectativa de horas que podem ou não se materializar, tem rendimentos mensais bastante incertos e dispõe de reduzidos direitos trabalhistas.

os escravos. Eles têm pouco ou nenhum controle sobre o processo de trabalho ou sobre o produto. Eles têm a liberdade de se recusar a vender a sua força de trabalho, mas se trata de uma liberdade parcial; em última análise, a alternativa à recusa é a fome ou a degradação social. Da mesma forma, seria razoável argumentar que um escravo poderia fugir ou se recusar a trabalhar, embora a certeza e a gravidade do castigo sejam de ordem inteiramente distinta. Por essas razões, os trabalhadores sob o capitalismo têm sido descritos como escravos assalariados, apesar de o termo ser um oximoro. Não se pode ser ambos, escravo e assalariado – por definição, o escravo não tem as liberdades que o assalariado desfruta, independentemente de outras condições.

Em oposição à classe trabalhadora estão os capitalistas, que controlam os trabalhadores e os produtos do seu trabalho através do pagamento dos salários e da propriedade dos meios de produção. Essa diferença é fundamental para compreender as relações de propriedade específicas ao capitalismo. Como explicado acima, o monopólio capitalista dos meios de produção vincula os trabalhadores à relação salarial. Se os trabalhadores possuíssem ou tivessem o direito de utilizar os meios de produção independentemente do contrato salarial, não haveria necessidade de vender sua força de trabalho (eles venderiam os produtos finais diretamente no mercado) e, portanto, não haveria necessidade de se submeter ao controle capitalista tanto durante a produção quanto fora dela.

A distinção entre trabalho e força de trabalho revela que a teoria do valor-trabalho não apenas captura as relações distributivas estabelecidas através da troca de produtos do trabalho, mas também captura e expressa as relações de produção e exploração específicas ao capitalismo. A troca social de força de trabalho por dinheiro, além da troca de produtos do trabalho através do mercado, pressupõe, por um lado, o monopólio dos meios de produção pela classe dos capitalistas e, por outro, a existência de uma classe de assalariados sem acesso direto aos meios de produção (ver capítulo 6). Essa distinção fundamental entre trabalho e força de trabalho não existe na economia neoclássica, que adota uma terminologia "neutra" de fatores de produção ou insumos (inclusive o "trabalho") e produtos finais. A terminologia ortodoxa sugere que o trabalho e o capital contribuem igualmente para o processo de produção – tanto que os trabalhadores são concebidos como "capital humano". Assim, trabalhadores e capital são reduzidos a insumos físicos, ao invés de serem vistos como manifestações de relações de classe historicamente específicas.

O fetichismo da mercadoria

Marx percebe que a troca dos valores de uso produzidos reflete a organização social do trabalho que produziu tais mercadorias. Mas, para muitos economistas contemporâneos a ele, bem como para quase todos os subsequentes, a relação entre trabalhadores e os produtos do seu trabalho é meramente uma relação entre coisas, do tipo "x pães = 1 camisa" ou "uma semana de trabalho vale um certo tanto em relação ao padrão normal de subsistência" (o padrão salarial). Assim, enquanto o capitalismo organiza a produção através de relações sociais específicas entre os capitalistas e os trabalhadores, essas relações se expressam e aparecem, em parte, como relações entre coisas. As relações sociais são ainda mais mistificadas quando o dinheiro é levado em consideração e tudo passa a ser analisado em termos de preço. Marx chama essa dimensão do mundo capitalista de *fetichismo da mercadoria*. Esse fetichismo se manifesta de maneira mais evidente na economia moderna, onde, como foi mostrado acima, até a força de trabalho é tratada como um insumo ou fator de produção igual a qualquer outro. Os rendimentos dos fatores de produção são vistos em primeiro lugar como consequência das propriedades físicas dos insumos, como se o lucro, os juros ou a renda fossem produzidos diretamente pelas máquinas, pelo dinheiro ou pela terra, e não por pessoas que vivem juntas, em relações e sociedades específicas.

Marx traça o brilhante paralelo entre o fetichismo da mercadoria e a devoção religiosa feudal (o que não é surpreendente, dada a influência anterior de Feuerbach sobre seu pensamento). Deus é uma criação da própria humanidade. Sob o feudalismo, as relações humanas com Deus ocultam e justificam as reais relações entre os seres humanos, que aparecem à mente burguesa (capitalista) como um vínculo absurdo de exploração senhorial. Entretanto, o capitalismo tem seu próprio Deus e sua Bíblia. A relação de troca entre coisas também é criada pelas pessoas e oculta a verdadeira relação de exploração ao justificá-la pela doutrina da liberdade de troca.

Mas há uma enorme diferença entre o fetichismo religioso e o da mercadoria. Enquanto Deus é uma criação das religiões, as mercadorias têm uma existência real: sua troca representa e, até certo ponto, oculta as relações sociais de produção (ver capítulo 1). Analogamente, o sistema de preços existe e está ligado ao sistema socioeconômico mais amplo, sem, no entanto, tornar transparente a natureza deste sistema. Em outras palavras: a compra e a venda de mercadorias não revelam as circunstâncias pelas quais elas chegaram ao mercado ou a exploração dos produtores diretos (os trabalhadores assalariados) pela classe capitalista. Consequentemente, a ênfase de Marx recai sobre os preços como um sistema de valores, determinado pelas relações de produção e exploração de classe. Mas não são apenas as relações de classe e de produção que são fetichizadas pela forma mercadoria. Por exemplo, somente se rastrearmos o caminho entre o mercado e a produção poderemos perfurar o véu da propaganda e descobrir se os produtos são de fato ambientalmente responsáveis, "orgânicos", livres da exploração de trabalho infantil etc.

Dessa perspectiva, o fetichismo da mercadoria pode se tornar a base de uma teoria da alienação ou da reificação. Os trabalhadores não estão somente divorciados do controle do produto e do processo de produção, mas a sua percepção dessa situação é normalmente distorcida ou, quando muito, parcial. Ademais, os capitalistas estão sujeitos ao controle social por meio da concorrência e da necessidade de lucro. Tanto para os capitalistas quanto para os trabalhadores, parece que forças externas exercem esse controle, e não as relações sociais de produção e seus efeitos sob o capitalismo. Uma vez mais, há algo de verdade nessa percepção. Por exemplo, a culpa pela perda de um emprego ou pela falência pode ser atribuída a uma coisa ou a uma força impessoal, como a introdução equivocada (ou, alternativamente, a quebra) de uma máquina, mudanças nas preferências dos consumidores, a concorrência internacional ou as crises econômicas de qualquer origem. Mais recentemente, a "globalização" tem sido entendida em termos genéricos, quase religiosos, como sendo capaz de explicar todas as coisas boas ou más sobre o capitalismo contemporâneo (ver capítulos 14 e 15). Mas, para dar vida analítica e explicativa à concorrência, às crises econômicas e à globalização e ir além do misticismo, precisamos começar por compreender claramente as relações sociais que sustentam a produção capitalista, ao invés de fetichizar seus efeitos.

A distinção entre o fetichismo religioso e o fetichismo da mercadoria não é simplesmente retórica. Devido às suas origens imaginárias, o fetichismo religioso pode ser prontamente rejeitado, ao menos em teoria, embora, na realidade, ele seja sustentado por forças materiais e por hábitos que lhe dão considerável influência sobre nossas vidas cotidianas ao longo de toda a história humana. Em contraste, por melhor que o sistema de preços seja compreendido, não é possível afastá-lo por um ato de vontade, exceto em casos marginais e frágeis tentativas de autossuficiência. Como resultado, e aqui há outro paralelo com o fetichismo religioso, de tempos em tempos é possível entender as realidades capitalistas subjacentes através das consequências das práticas cotidianas e pela reflexão sobre elas. Da mesma forma que é possível concluir que Deus não existe, também é possível perceber que o capitalismo é um sistema de classes baseado na exploração que está longe de promover a liberdade, qualquer que seja o grau de (des)igualdade perante o mercado. Isso abre o terreno tanto para a luta material quanto para a ideológica. A existência de lucros, juros e renda sugere que o capitalismo seja um modo de produção baseado na exploração; como consequência, o desemprego, as crises econômicas, as desigualdades, a degradação ambiental etc. tornam-se tão visíveis quanto a incapacidade dos mansos de herdar a terra ou comer torta no céu quando morrerem.[6]

Isso levanta dois temas estreitamente relacionados e fervorosamente debatidos no marxismo, nas ciências sociais como um todo e na vida política de forma mais ampla. O primeiro é a questão metodológica e analítica sobre como ordenar os diversos resultados empíricos associados ao capitalismo. Podemos lidar com a desigualdade a despeito das classes,

[6] NT: "You'll get pie in the sky when you die [Você vai comer tortas no céu quando morrer]" é um verso de uma música composta em 1911 por Joe Hill, que fez parte do movimento operário norte-americano. Ela é uma crítica a promessas de recompensas espirituais futuras em detrimento de mudanças concretas imediatas.

com a pobreza apartada da repressão econômica e com o crescimento separado da crise? O segundo, até que ponto essas condições são endêmicas ao (ou reformáveis dentro do) capitalismo? Não se trata simplesmente das relações lógicas entre as diferentes categorias da economia política – entre, por exemplo, os valores e os preços. Uma das virtudes d'O *Capital* de Marx, reconhecida igualmente por aliados e antagonistas, é a de ter apontado o caráter sistêmico do capitalismo e identificado suas características essenciais. Por razões análogas, a antipatia do marxismo frente ao reformismo, exceto como parte de uma estratégia mais ampla para o socialismo, baseia-se nas inevitáveis limitações e acomodações do reformismo dentro das fronteiras impostas pelo capitalismo. Em torno dessas questões, ainda há muito espaço para disputas sobre método, teoria e políticas de reforma nos debates internos ou contrários ao marxismo.

Essas perspectivas podem iluminar o próprio desenvolvimento intelectual de Marx. Seu conceito maduro de fetichismo da mercadoria estabelece uma ligação com trabalhos anteriores (nos *Manuscritos Econômico-Filosóficos de 1844*). Nesses textos, ao romper com o idealismo hegeliano e adotar uma filosofia materialista, o jovem Marx desenvolve sua teoria da alienação. Esta teoria focava, por um lado, a relação do indivíduo com a atividade física e mental e sua relação com outros seres humanos, por outro, a tomada de consciência desses processos. N'O *Capital*, após extensos estudos econômicos, Marx foi capaz de tornar explícitas as forças coercivas exercidas pela sociedade capitalista sobre os indivíduos. Elas podem consistir na compulsão pela lucratividade, no trabalho assalariado ou nas distorções mais sutis pelas quais essas forças são ideologicamente justificadas: abstinência, ética do trabalho, consumismo, liberdade de troca e outros aspectos do fetichismo da mercadoria. Diferentemente de outras teorias da alienação, a abordagem marxista situa o indivíduo em uma posição de classe e examina as percepções próprias a essa posição. Ninguém é identificado, à primeira vista, como um indivíduo impotente diante de um inexplicado "sistema" de irracionalidade, impessoalidade, desigualdade, autoritarismo, burocracia, ou seja lá o que for. Esses fenômenos têm seu próprio caráter e função em momentos específicos na sociedade capitalista. Eles só podem ser entendidos como um todo ou em relação aos indivíduos, quando confrontados com noções de funcionamento do capitalismo, como veremos nos próximos capítulos.

Questões e leituras adicionais

A teoria do valor de Marx é bastante controversa, tanto entre defensores quanto entre opositores. Um ponto de partida essencial para avaliar tais debates é a distinção entre as abordagens de Ricardo e Marx. Muitos disseram, equivocadamente, que ambos defendem *a* (mesma) teoria do valor-trabalho. Ricardo, todavia, considera exclusivamente o tempo de trabalho para explicar o preço, sem investigar por que os produtos tomam a forma de mercadorias. Essa premissa é o ponto de partida de Marx para justificar o valor como uma categoria de sua abordagem. Para ele, a própria sociedade empreende a comparação qualitativa e quantitativa entre os tempos de trabalhos (concretos) através do processo de produção capitalista e do mercado. Ver, especialmente, Geoffrey Pilling (1980) e as contribuições em Ben Fine (1986), Diane Elson (1979) e Jesse Schwartz (1977, parte 5).

A teoria do valor de Marx é extensivamente discutida ao longo de seus trabalhos da maturidade, especialmente Marx (1976, parte 1, 1987). Para um panorama conciso da teoria e suas implicações, ver Marx (1981, parte 7, 1998); ver também Friedrich Engels (1998, parte 2). A interpretação desenvolvida no presente capítulo se apoia em Ben Fine (1980, cap. 6, 2001, 2002, cap.3), Ben Fine, Gong Gimm e Heesang Jeon (2010) e Alfredo Saad Filho (2003). Para perspectivas semelhantes, ver Diane Elson (1979b), Duncan Foley (1986, cap.2), David Harvey (1999, cap.1, 2009, 2010), Moishe Postone (1993) e John Weeks (1990, 2010, cap. 1–2). Duncan Foley (2000), Alfredo Saad Filho (1997, 2002, cap. 2) e as contribuições em Simon Mohun (1995) explicam e revisam criticamente interpretações alternativas à teoria do valor de Marx.

Capítulo III

O CAPITAL E A EXPLORAÇÃO

No capítulo anterior, foi mostrado que a produção de valores de uso como mercadorias, típica do capitalismo, tende a ocultar as relações sociais de produção enquanto relação entre os produtores. Este tipo de produção enfatiza, ao contrário, a troca como relação entre coisas. Entretanto, como demonstrado logicamente pela produção simples de mercadorias e empiricamente pela história do comércio, a troca em si pode existir e efetivamente existe sem o capitalismo. O capitalismo se torna o modo de produção dominante em uma sociedade apenas quando a força de trabalho se torna uma mercadoria e os trabalhadores assalariados são regularmente contratados para produzir mercadorias para a venda por lucro. Neste capítulo, ao examinarmos as trocas, primeiro, pela perspectiva dos trabalhadores e, depois, pela dos capitalistas, veremos por que o capitalismo não é somente um sistema de produção de mercadorias, mas também, e mais crucialmente, um sistema de trabalho assalariado.

As trocas

Para além do simples escambo – um fenômeno histórico bastante limitado –, o dinheiro é essencial para as trocas. As funções do dinheiro já foram bastante exploradas na literatura: ele é medida de valor, padrão de preços (isto é, unidade de conta), meio de circulação e reserva de valor. Como meio de circulação, ele medeia o processo de troca. Quando as mercadorias são compradas a crédito e a dívida é liquidada mais tarde, o dinheiro funciona como meio de pagamento. O uso do dinheiro como meio de pagamento pode, todavia, entrar em conflito com seu uso como reserva de valor. Trata-se de um fator fundamental nas crises, quando o crédito fica menos disponível e pagamentos efetivos são exigidos.

Tomemos como ponto de partida um problema geral: um indivíduo é proprietário de alguma mercadoria, mas, por qualquer razão, gostaria de trocá-la por outra. Primeiro, a mercadoria (*M*) precisa ser trocada por dinheiro (*D*). Essa venda é representada por $M - D$. Segundo, o dinheiro obtido é trocado pela mercadoria desejada, $D - M$. Em ambos os casos, $M - D$ e $D - M$, os valores das mercadorias são realizados no mercado: o vendedor obtém dinheiro e o comprador adquire um valor de uso, que pode ser usado para o consumo ou para a produção. Em geral, as mercadorias são vendidas para se comprar outras mercadorias, o que pode ser representado por $M - D - M$: a circulação das mercadorias. Os dois extremos da circulação das mercadorias são expressos por *M* porque se encontram na forma da mercadoria e possuem o mesmo valor. Mas, evidentemente, essas mercadorias não são iguais, pois, caso o fossem, a troca perderia sua razão de ser (exceto por atividades puramente especulativas).

Supomos que ambas as mercadorias têm o mesmo valor, porque a circulação das mercadorias (troca) enquanto tal não pode adicionar valor aos bens ou serviços trocados. Embora alguns vendedores possam lucrar com a venda de mercadorias acima do valor (troca desigual), como, por exemplo, comerciantes inescrupulosos ou especuladores, isso não é possível para todos os vendedores, uma vez que qualquer valor ganho por uma das partes é, necessariamente, perdido pela outra parte. As trocas mercantis simples são representadas na figura 3.1.

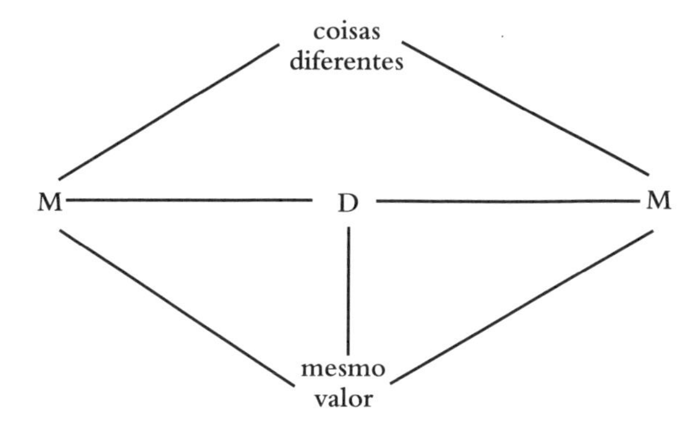

Figura 3.1 Troca mercantil simples: vender para comprar

No capitalismo, a troca mercantil simples pode começar com um trabalhador ou com um capitalista. Para o trabalhador, a única mercadoria disponível para a venda é a sua força de trabalho, que é trocada por salários (*D*) e, eventualmente, por bens de consumo (*M*). Alternativamente, a venda mercantil $M - D$ poderia também ser realizada por um capitalista, seja a fim de comprar bens para consumo pessoal, seja para renovar a produção, por exemplo, pela compra subsequente de força de trabalho, matéria-prima, máquinas etc.

Capital

Em contraste com as trocas simples que começam com uma venda, a produção capitalista precisa começar com a compra de dois tipos de mercadorias. Essas mercadorias são os meios de produção (máquinas, insumos para processamento posterior, peças de reposição, combustível, eletricidade etc.) e a força de trabalho. Uma condição necessária para isto é a disposição dos trabalhadores de vender tal mercadoria. Essa disposição, um exercício da "liberdade de comércio", é, na verdade, o resultado de uma coação sobre os trabalhadores: por um lado, a venda da força de trabalho é uma condição para o trabalho – pois, de outra forma, os trabalhadores não podem ter acesso aos meios de produção, que são monopolizados pelos capitalistas. Por outro lado, ela é um requisito para o consumo, uma vez que é a única mercadoria que os trabalhadores podem realmente vender (ver capítulos 2 e 6).

Ao reunir meios de produção e força de trabalho (*D* – *M*), os capitalistas organizam e supervisionam o processo de produção, e vendem o produto resultante (*M* – *D*). Nesse último caso, o traço (–) oculta a intervenção da produção na transformação dos insumos em dinheiro (ver capítulo 4). Por enquanto, podemos representar as trocas do capitalista por *D* – *M* – *D'*. Em contraste com a troca mercantil simples, *M* – *D* – *M*, discutida na seção anterior, a circulação capitalista de mercadorias começa e termina com o dinheiro, e não com mercadorias. Isso significa que nos dois extremos se encontra a mesma coisa, dinheiro, ao invés de coisas diferentes, mercadorias com valores de uso distintos. Evidentemente, o único propósito em empreender esse tipo de atividade sistematicamente é a obtenção de mais-valor, e não de valores de uso diferentes (*D'* deve ser maior do que *D*). A diferença entre *D'* e *D* é *m*, ou *mais-valor*. As trocas capitalistas são resumidas na figura 3.2.

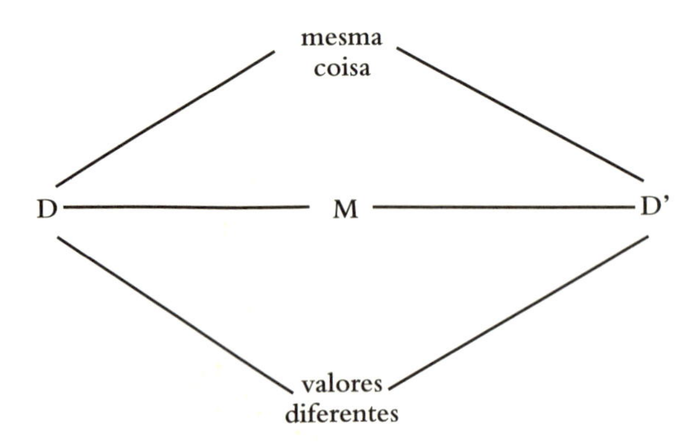

Figura 3.2 Troca capitalista: comprar para vender mais caro

Marx sustenta que o capital é *valor que se autovaloriza*. O dinheiro funciona como capital apenas quando é usado para gerar mais dinheiro ou, mais precisamente, quando é empregado na produção de mais-valor. Essa noção básica da natureza do capital permite que ele seja diferenciado das diversas formas específicas que ele mesmo assume (dinheiro, fatores de produção ou mercadoria) e das funções realizadas por elas. Cada uma dessas formas é capital somente na medida em que contribui diretamente para a expansão do valor adiantado (valorização). Nesse sentido, o dinheiro funciona enquanto capital, ao mesmo tempo em que executa suas tarefas específicas como meio de pagamento ou repositório de valor de troca.

Caracterizamos normalmente o capital pela atividade dos capitalistas industriais (que inclui não apenas o capital industrial, mas também a prestação de serviços e outras atividades produtoras de mais-valor). Há, todavia, outras formas de capital, especificamente o capital comercial e o capital de empréstimo. Ambos também expandem o valor adiantado ao comprar mercadorias ou ativos financeiros (em vez de meios de produção) para vender mais caro. Ambos aparecem historicamente antes do capital industrial. Foi de Marx a ideia de inverter sua ordem histórica de aparecimento, a fim de analisar o capitalismo abstratamente, em sua forma pura enquanto sistema social de produção. Isso lhe permitiu se concentrar na relação salarial e na produção de valor e mais-valor, sem as complicações introduzidas pelas formas e relações de troca, como, por exemplo, o mercantilismo ou a usura, que meramente transferem valor (para uma análise mais detalhada dessas formas de capital, ver capítulos 11 e 12).

Mais-valor e exploração

A maioria dos economistas podem achar esta caracterização do capital enquanto valor que se autovaloriza incontroversa, mesmo que um pouco estranha. Contrastando as figuras 3.1 e a 3.2, torna-se evidente que, embora D e D' tenham valores diferentes, D e M têm o mesmo valor. Isso significa que um valor extra foi criado no movimento $M - D'$. Esse valor adicionado é a diferença entre os valores dos produtos e dos insumos. A existência de mais-valor (lucro em sua forma dinheiro) é incontroversa, pois é a força motriz da produção capitalista. Sua fórmula geral é obviamente $D - M - D'$. A questão consiste, pois, em explicar a *origem* do mais-valor.

Como foi mostrado acima, ela se encontra na produção, dado que a troca não cria valor. Portanto, dentre as mercadorias compradas pelo capitalista, deve haver alguma que crie mais valor do que custa. Em outras palavras, para que o mais-valor seja produzido, ao menos uma mercadoria deve contribuir para os produtos com um tempo de trabalho (valor) superior ao seu custo de produção enquanto insumo. Nesse sentido, um de seus valores de uso é a produção de valor e mais-valor. Como já foi indicado, só há um candidato possível: a força de trabalho.

Vejamos, primeiro, os demais insumos. Embora eles contribuam para o valor do produto – como resultado do tempo de trabalho que foi socialmente necessário para a sua produção no passado –, a quantidade de valor que eles acrescentam não é maior nem menor do que o seu próprio valor ou custo de produção. Caso contrário, o dinheiro estaria magicamente crescendo em árvores ou, ao menos, em máquinas. Em outras palavras, os insumos não-laborais (meios de produção) não podem transferir mais valor ao produto do que custam, pois, como demostrado, as trocas *iguais* não criam novo valor, e as trocas *desiguais* não podem criar mais-valor; elas podem apenas alterar a distribuição de valores já criados.

Vejamos, agora, a força de trabalho. Seu valor é representado por seu custo ou, mais precisamente, pelo valor obtido pelos trabalhadores através da venda de sua força de trabalho. Isso corresponde ao tempo de trabalho socialmente necessário para produzir os bens de consumo comprados regularmente pela classe trabalhadora. Em contraste, o valor criado pela força de trabalho na produção é o tempo de trabalho *despendido* pelos trabalhadores em troca do respectivo salário. Diferentemente de outros insumos, não há razão por que a contribuição realizada pelos trabalhadores ao valor do produto (digamos, dez horas diárias por trabalhador) deva equivaler ao custo da força de trabalho (cujo valor pode ser produzido em, digamos, cinco horas). Na verdade, o mais-valor é criado apenas porque o valor da força de trabalho é menor do que o tempo de trabalho social executado.

Ao se utilizar o tempo de trabalho social como a unidade de conta, foi demonstrado que o capital pode se valorizar (expandir) apenas se o valor contribuído pelos trabalhadores exceder a remuneração recebida pela venda de sua força de trabalho: o mais-valor é criado pelo excesso de tempo de trabalho sobre o valor da força de trabalho. Portanto, a força de trabalho não cria apenas valores de uso: quando exercida como trabalho, também cria valor e, potencialmente, mais-valor. A força desse argumento fica ainda mais clara quando o comparamos com teorias do valor alternativas.

Teorias da abstinência, espera ou preferência intertemporal supõem que a fonte dos lucros é o sacrifício, pelos capitalistas, do consumo atual. Ninguém poderia negar que esses "sacrifícios" (geralmente realizados em luxuoso conforto) são uma condição do lucro, mas, como milhares de outras condições, eles não são a *causa* dos lucros. As pessoas sem capital poderiam se abster, esperar e realizar escolhas intertemporais até se cansarem, sem produzir nenhum lucro. Não é a abstinência que cria capital, mas o capital que requer a abstinência. A espera existe em todas as sociedades; ela pode ser encontrada até mesmo entre esquilos, sem que eles aufiram qualquer lucro. Conclusões similares se aplicam às teorias que veem o risco como fonte de lucro. Deve-se sempre ter em mente que não são as coisas, abstratas ou não, que criam categorias econômicas (por exemplo, os lucros ou os salários), mas as relações sociais entre pessoas.

As teorias da produtividade marginal que estão no núcleo da economia neoclássica explicam o aumento de valor entre *M* e *D'* pelas contribuições físicas ou técnicas ao produto efetuadas pelo trabalho e os bens de capital. Abordagens desse tipo não podem ter qualquer conteúdo social, e não oferecem nenhuma informação sobre a natureza do trabalho e do "capital" acoplados ao *capitalismo*. O trabalho e a força de trabalho (nunca claramente distinguidos um do outro) são tratados como qualquer outra *coisa*, e a teoria não tem interesse nem capacidade de explicar a organização social da produção. Somente as quantidades de meios de produção e força de trabalho importam, como se a produção fosse primordialmente um processo tecnológico ao invés de social. Todavia, os fatores de produção existem em todas as sociedades, embora o mesmo não possa ser dito a respeito dos lucros, salários, rendas ou mesmo preços, os quais, em sua atual onipresença, são fenômenos historicamente recentes. A explicação da forma do processo de produção, dos modos de interação e reprodução social nela baseados e das categorias a que eles dão origem exige mais do que a teoria econômica neoclássica pode oferecer.

Marx argumenta que todo valor (incluindo o mais-valor ou o lucro) é criado pelo trabalho, e que o mais-valor emerge da exploração de trabalho direto ou vivo. Suponha que a jornada média de trabalho é de dez horas e que os salários correspondem à metade do valor criado nesse tempo de trabalho. Então, por cinco horas de cada dia, o trabalho é "grátis" para a classe capitalista. Nesse caso, a taxa de exploração, definida como a razão entre tempo de trabalho excedente e tempo de trabalho necessário, é de cinco horas divididas por cinco horas, ou seja, um (100 por cento). Embora Marx se refira à taxa de mais-valor quando fala, de forma mais específica, da exploração sob o capitalismo, esse conceito poderia ser similarmente aplicado a outros modos de produção – por exemplo, o feudalismo com as rendas feudais, ou a escravidão. A diferença é que, nesses dois últimos casos, a exploração e sua medida são evidentes, enquanto, no capitalismo, a exploração na produção é disfarçada pela liberdade de trocas.

Designemos o tempo de trabalho excedente por m e o tempo de trabalho necessário por v. Juntos, m e v formam o trabalho vivo, t. Sendo o mais-valor m, designamos o capital variável por v, e t é o novo valor produzido:

$$m + v = t$$

A taxa de exploração é $e = m/v$. Marx chama v de capital variável porque a quantidade de valor adicionada (criada) pelos trabalhadores, t, não é fixada de antemão, quando eles são contratados. Pelo contrário, ela depende da quantidade de trabalho que pode ser extraída na linha de produção, na fazenda ou no escritório. Tal quantidade é variável, em contraste ao capital constante, c. Este, por sua vez, não é o capital fixo (como é uma fábrica que dura diversos ciclos produtivos), mas corresponde às matérias-primas e ao desgaste do capital fixo, na medida em que são consumidos na produção. Por exemplo, uma edificação ou máquina que tem o valor de 100.000 unidades de tempo de trabalho e dura dez anos contribuirá 10.000 unidades de valor por ano ao capital constante. O valor do capital constante não muda durante a produção (uma vez que apenas o trabalho vivo cria valor), mas é preservado no (ou, em outras palavras, transferido ao) produto pelo trabalho do produtor direto, um serviço gratuita e inadvertidamente realizado para o capitalista. Claramente, c e v são, ambos, capital, porque representam valores adiantados pelos capitalistas com o objetivo de lucrar. Portanto, o valor λ da mercadoria é composto pelos capitais constante e variável e pelo mais-valor: $\lambda = c + v + m$. Alternativamente, λ pode ser visto como a soma de capital constante c e trabalho vivo $v + m$. Por fim, o custo da mercadoria é $c + v$, e o mais-valor (m) forma o lucro do capitalista.

Mais-valor relativo e absoluto

O mais-valor produzido depende da taxa de exploração e da quantidade de trabalho empregado (que podem ser aumentadas pela acumulação do capital; ver capítulo 6). Suponha, agora, que os salários reais permaneçam inalterados. A taxa de exploração pode ser aumentada de duas maneiras. Antes de explicá-las, é preciso, porém, ressaltar que não faltarão tentativas para aumentá-la. Isso porque, sob pena de extinção (isto é, a falência nos negócios e, potencialmente, a degradação representada pela queda em direção à classe trabalhadora), a natureza do capital como valor que se autovaloriza impõe um objetivo qualitativo sobre cada capitalista, qual seja, a maximização do lucro ou, ao menos, a prioridade do aumento da lucratividade. Retornemos, agora, às duas formas de aumentar a taxa de exploração.

Em primeiro lugar, e pode aumentar por meio daquilo que Marx chama de produção de *mais-valor absoluto*. Com base nos métodos de produção existentes – isto é, com os valores das mercadorias permanecendo inalterados –, a maneira mais simples de se fazer isso é estendendo a jornada de trabalho. Se, no exemplo dado acima, a jornada de trabalho aumenta de dez para onze horas e tudo o mais continua constante, incluindo os salários, a taxa de exploração se eleva de 5/5 para 6/5, um aumento de 20 por cento. A produção de mais-valor absoluto (m') é ilustrada na figura 3.3 (o mais-valor total é $m + m'$).

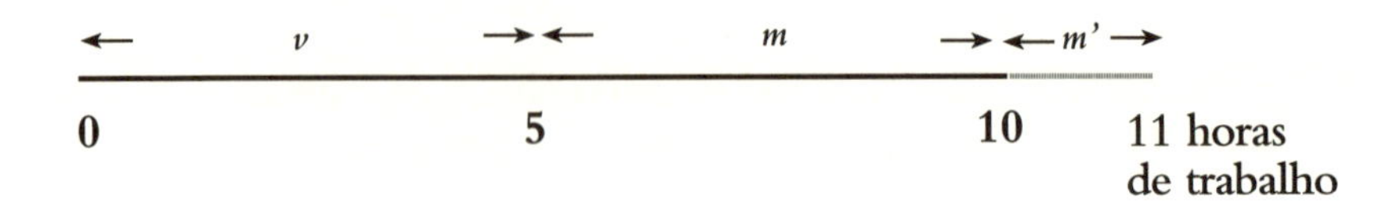

Figura 3.3 Produção de mais-valor absoluto (*m*')

Há outras maneiras de se produzir mais-valor absoluto. Por exemplo, se o trabalho se tornar mais intenso durante uma dada jornada, mais trabalho será realizado no mesmo período e mais-valor absoluto será produzido. O mesmo resultado pode ser alcançado ao se tornar o trabalho contínuo, sem intervalos sequer para descanso e alimentação. Frequentemente, a produção de mais-valor absoluto é um subproduto das mudanças tecnológicas, pois a introdução de novas máquinas – como, por exemplo, esteiras e, depois, robôs na linha de produção – também permite a reorganização do processo de trabalho. Tal reorganização fornece um pretexto para a eliminação dos intervalos ou "poros" na jornada de trabalho (que são fonte de ineficiência, segundo os capitalistas) e, ao mesmo tempo, permite a ampliação do controle sobre o processo de trabalho, levando a uma maior intensidade laboral e a uma lucratividade mais alta, independentemente do aumento do valor produzido devido à nova maquinaria.

O ritmo desejado também pode ser obtido pela aplicação rigorosa da disciplina no trabalho. Pode haver supervisão constante pela gerência, penalidades e até demissões, ou recompensas por trabalho adicional ou mais intenso (ou seja, pela produção de maior valor). Métodos mais indiretos também podem ser empregados. Um sistema salarial baseado no pagamento por peças (ou por unidade produzida) visa encorajar os trabalhadores a manter uma elevada intensidade de trabalho, enquanto pagamentos adicionais por hora-extra induzem o trabalho além do horário contratado (o adicional não pode, evidentemente, absorver todo o mais-valor extra criado no tempo de trabalho adicional, pois, do contrário, não haveria lucro para o capitalista).

Outra maneira de produzir mais-valor absoluto é a extensão do trabalho à família da classe trabalhadora. À primeira vista, crianças, mulheres e maridos recebem salários separados. Mas o papel estrutural socialmente desempenhado por esses salários é o de fornecer os meios para a reprodução das famílias que compõem a classe trabalhadora e, portanto, da classe trabalhadora como um todo. Com a extensão do trabalho assalariado para toda a família, a pressão do mercado de trabalho (salários mais baixos devido ao maior número de trabalhadores buscando emprego) poderia até resultar no fornecimento de mais trabalho por pouco ou nenhum aumento no valor dos salários como um todo.

Há limites quanto ao grau de dependência do capitalismo em relação à produção de mais-valor absoluto. Para além da barreira natural das 24 horas do dia e dos requisitos fisiológicos da reprodução dos trabalhadores, a resistência da classe trabalhadora e, por conseguinte, as leis trabalhistas e as regras de saúde e segurança podem apresentar impedimentos à extração de mais-valor absoluto. Não obstante, o mais-valor absoluto é sempre importante nas fases iniciais do desenvolvimento capitalista, quando a carga de trabalho tende a aumentar rapidamente, e, na medida em que é possível aplicá-la, ela sempre serve como remédio para a baixa lucratividade (mesmo nos países capitalistas desenvolvidos contemporâneos).

O *mais-valor relativo*, por sua vez, não sofre das mesmas limitações, e tende, com o desenvolvimento do capitalismo, a se tornar o método dominante para o aumento de *e* (ver capítulo 6). O mais-valor relativo é produzido pela redução do valor da força de trabalho (*v*) através do aumento da produtividade no setor produtor de bens de consumo assalariado (mantendo o salário real constante) ou, de forma mais geral, pela apropriação dos ganhos de produtividade pela classe capitalista. Nesse caso, a jornada de trabalho permanece a mesma (dez horas, por exemplo), mas, devido aos ganhos de produtividade (obtidos diretamente ou de maneira indireta, através do capital constante utilizado) na produção de bens de salário, *v* diminui de cinco para quatro horas, deixando um mais-valor de seis horas (*e* sobe de 5/5 para 6/4, isto é, em 50 por cento). Há várias maneiras de se alcançar esse resultado, inclusive pelo desenvolvimento da cooperação e por uma divisão do trabalho mais refinada, pelo uso de melhores máquinas e pela aplicação de descobertas e inovações científicas à economia. A produção de mais-valor relativo é ilustrada na figura 3.4. Como resultado de mudanças técnicas, *v* diminui para *v*' e mais-valor relativo é produzido em adição ao mais-valor anterior. (Esta figura deve ser comparada com a figura 3.3).

Antes da mudança técnica:

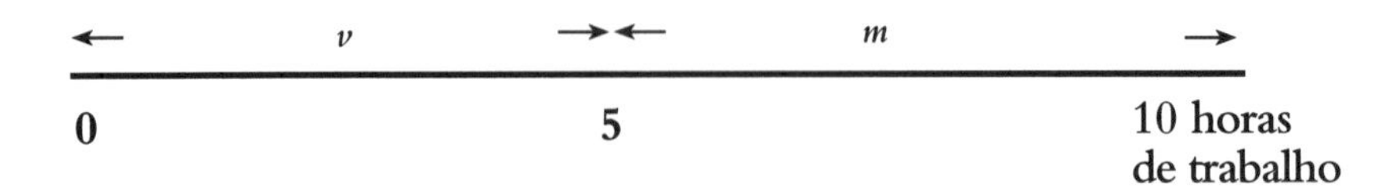

Depois da mudança técnica (menor valor da força de trabalho):

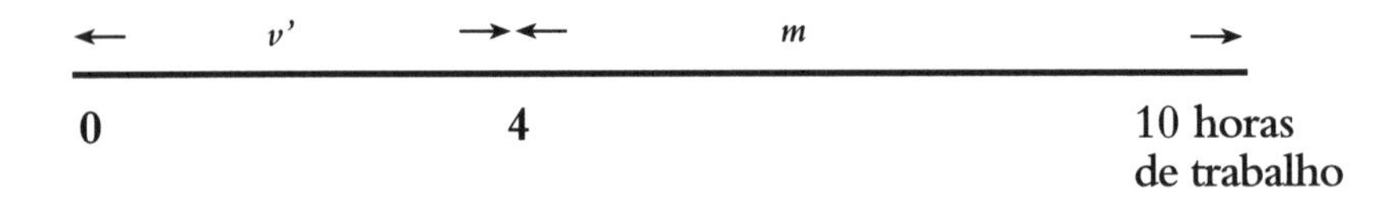

Figura 3.4 Produção de mais-valor relativo

A produção do mais-valor absoluto pode se basear em decisões implacáveis de capitalistas individuais, apoiadas em ameaças de punição, demissão ou *lockouts* e apoiadas pela intervenção estatal sempre que necessário; – que pode ser justificada, por exemplo, com o argumento de que é necessário proteger a viabilidade ou a competitividade da indústria ou defender o "interesse nacional" frente à concorrência estrangeira. Em contraste, a produção do mais-valor relativo depende de *todos* os capitalistas, já que nenhum deles produz, sozinho, uma proporção significativa das mercadorias necessárias para a reprodução da classe trabalhadora. Em particular, o mais-valor relativo depende de que a concorrência e a acumulação na economia como um todo induzam a mudanças técnicas, levando à redução do valor da força de trabalho.

Maquinaria e mudanças técnicas

Marx atribui grande importância à análise da maneira pela qual a produção se desenvolve sob o capitalismo. Ele dedica considerável atenção tanto às relações de poder entre trabalhadores e capitalistas quanto às relações técnicas sob as quais a produção se realiza. Ele também demonstra que elas não devem ser tratadas separadamente: as tecnologias de produção corporificam relações de poder. Em particular, Marx argumenta que, no capitalismo desenvolvido, o sistema fabril é necessariamente predominante (em relação, por exemplo, à produção artesanal independente ou ao sistema doméstico[7], no qual os capitalistas fornecem insumos aos trabalhadores artesanais e, depois, compram as mercadorias produzidas). Dentro da fábrica, a produção de mais-valor relativo é buscada sistematicamente através da introdução de novas máquinas, que podem trazer, ao menos temporariamente, lucros extraordinários ao capitalista inovador.

A nova maquinaria aumenta a produtividade porque permite que maiores quantidades de insumos sejam transformadas em produtos finais em dado tempo de trabalho. Inicialmente, a força física do trabalhador é substituída pela força da máquina. Posteriormente, as ferramentas do trabalhador são nela incorporadas, transformando os trabalhadores em zeladores ou apêndices das máquinas – eles devem alimentá-las e guardá-las, convertendo-se em seus servos (o que pode, ainda assim, exigir sofisticado conhecimento técnico), ao invés do contrário.

A introdução de maquinaria aumenta a intensidade do trabalho de uma maneira distinta daquela experimentada sob a produção de mais-valor absoluto, pois as novas máquinas inevitavelmente reestruturam o processo de trabalho. Isso gera efeitos contraditórios na classe trabalhadora. Ao serem substituídos por máquinas que simplificam sua tarefa, os trabalhadores veem seus conhecimentos e habilidades se tornarem obsoletos, ao mesmo tempo em que são obrigados a aprender novas técnicas na medida em que várias dessas tarefas simplificadas são

[7] NT: No original: *putting-out system*.

combinadas, frequentemente apenas para que máquinas mais complexas possam ser operadas em níveis mais altos de produtividade. Analogamente, embora ele seja aliviado pela força da máquina, o fardo físico do trabalho é intensificado, por outro lado, pelo aumento do ritmo e da intensidade e pela reestruturação do trabalho, bem como pela necessidade de se adaptar corpos humanos às exigências impostas pelas novas tecnologias.

Em grande medida, essa análise pressupõe um determinado conjunto de produtos e processos produtivos que são sistematicamente transformados pelo uso crescente da maquinaria. Marx não negligencia – na verdade, ele enfatiza – o papel da ciência e da tecnologia na promoção de inovações tanto nos produtos quanto nos processos de trabalho. Estes resultados não podem ser submetidos a uma teoria geral, uma vez que seu ritmo e extensão geralmente não se dão sob o comando de capitalistas individuais, e são condicionados pelo progresso das descobertas científicas, pela sua aplicação em tecnologias mais produtivas e pela introdução destas no local de trabalho. Não obstante, Marx conclui que o sistema fabril conduz a um aumento maciço da relação entre capital físico e trabalho vivo – o que ele denominou de composição técnica do capital (ver capítulo 8). Por um lado, tal aumento deriva da definição de aumento de produtividade, já que cada trabalhador transforma uma quantidade maior de insumos em produto final (caso contrário, a produtividade não teria aumentado). Por outro lado, essa é uma condição para o crescimento da produtividade, já que a massa de capital fixo na forma de maquinaria e fábricas também precisa aumentar.

Trabalho produtivo e improdutivo

A distinção de Marx entre trabalho produtivo e improdutivo é um corolário de seu conceito de mais-valor. O trabalho assalariado é *produtivo* se produz mais-valor diretamente. Isso significa que o trabalho produtivo é o trabalho assalariado realizado para o (e sob o controle do) capital, na esfera da produção, produzindo diretamente mercadorias para a venda com o objetivo do lucro. As mercadorias produzidas e o tipo de trabalho realizado são irrelevantes, podendo incluir a construção de navios, aragem e a colheita, a programação de computadores, o ensino, o canto e milhares de outras atividades. As mercadorias, por sua vez, evidentemente não precisam ser bens materiais.

Todos os demais tipos de trabalho, mesmo que assalariado, são *improdutivos*. São exemplos de trabalho improdutivo o trabalho que não é contratado pelo capital (como o trabalho de produtores independentes de mercadorias, profissionais liberais ou autônomos e a maior parte dos servidores públicos), o trabalho que não é diretamente empregado na produção (como os gerentes ou trabalhadores empregados em atividades comerciais, inclusive o varejo e o setor financeiro, bem como contadores, vendedores e caixas, mesmo que empregados pelo capital industrial) e as atividades desempenhadas por trabalhadores que não produzem mercadorias para a venda (como os empregados domésticos e outros fornecedores independentes de serviços pessoais).

A distinção produtivo–improdutivo é específica ao trabalho assalariado *capitalista*. Ela não é determinada pelo resultado da atividade, sua utilidade ou sua importância social, mas pelas relações sociais sob as quais o trabalho é realizado. Por exemplo, médicos e enfermeiras podem realizar trabalho produtivo ou improdutivo, dependendo da forma de seu emprego – por exemplo, em uma clínica privada ou em um hospital público. Embora suas atividades sejam as mesmas – e provavelmente sejam igualmente importantes para a sociedade –, em um caso, seu emprego depende da lucratividade da empresa; no outro, há provisão de um serviço público potencialmente gratuito.

É importante enfatizar que, embora os trabalhadores improdutivos não produzam diretamente mais-valor, eles são explorados se trabalham por mais tempo do que o valor representado por seus salários: ser improdutivo não é obstáculo à exploração capitalista! Do ponto de vista do capital, os setores improdutivos – varejista, bancário ou o sistema público de saúde, por exemplo – são um obstáculo para a acumulação, pois os recursos que cobrem os salários, as outras despesas e os próprios lucros do setor improdutivo são extraídos do mais-valor produzido na economia. As transferências dos setores que produzem valor para os setores improdutivos são mediadas pelo mecanismo de preços. Por exemplo, o capital comercial compra mercadorias abaixo do seu valor e as vende pelo seu valor, enquanto o capital portador de juros (que inclui os bancos e outras empresas financeiras) obtém rendimentos primordialmente pelo pagamento de taxas de serviço e juros sobre os empréstimos (ver capítulos 11 e 12). Por fim, os serviços públicos são financiados pelos tributos e, em alguns casos, por taxas específicas. Nada disso sugere que os setores improdutivos sejam "inúteis" ou apenas um empecilho para a prosperidade social: esses setores e seus trabalhadores podem realizar serviços úteis para a sociedade e/ou a acumulação do capital como um todo – mas eles não produzem diretamente mais-valor.

Questões e leituras adicionais

O livro I d'*O Capital* se preocupa em parte com a seguinte questão: como pode o lucro ser compatível com a liberdade de troca? A resposta oferecida modifica a própria pergunta. Agora, a pergunta passa a ser: como o mais-valor é produzido? Essa questão é respondida a partir das propriedades singulares da força de trabalho enquanto mercadoria e da extração de mais-valor absoluto e relativo. Marx aborda essa problemática nos termos teóricos aqui apresentados, mas também através de certo detalhamento empírico, que enfatiza as mudanças nos métodos de produção, especialmente a transição da manufatura (literalmente a produção pela mão) para o sistema fabril.

Para Marx, é importante explicar a fonte do mais-valor antes de examinar como ele é distribuído como lucro (e juros) e renda – o que ele faz no livro III d'*O Capital* (como descreveremos em capítulos posteriores). Ele caracteriza o lucro, a renda e os salários como a "fórmula trinitária". Essas formas de rendimento têm origens e lugares bastante distintos nas estruturas e processos do sistema capitalista; no entanto, elas criam a ilusão de estarem situadas simetricamente em relação ao preço do capital, da terra e do trabalho, respectivamente, ao invés de serem a base para um sistema de exploração.

A teoria do capital e da exploração de Marx é explicada em vários de seus trabalhos, especialmente Marx (1976, partes 2-6). A interpretação desenvolvida neste capítulo se apoia em Ben Fine (1998) e Alfredo Saad Filho (2002, caps. 3-5, 2003). Para abordagens semelhantes, ver Chris

Arthur (2001), Duncan Foley (1986, caps. 3–4), David Harvey (1999, caps. 1–2), Roman Rosdolsky (1977, parte 3), John Weeks (2010, cap.3) e as referências citadas no capítulo 2.

Uma vez aceita a especificidade da teoria do valor de Marx e sua ênfase na singularidade da força de trabalho enquanto mercadoria, sua explicação do mais-valor e o lucro pela teoria da exploração é relativamente incontroversa. É necessário, todavia, ver o mais-valor como resultado de uma coerção para trabalhar além do valor da força de trabalho, e não como uma subtração do que é produzido pelo trabalhador ou como uma fatia do produto líquido (como sugerem as chamadas abordagens sraffianas ou neo-ricardianas). Ver, nesse sentido, Ben Fine, Costas Lapavitsas e Alfredo Saad Filho (2004), Alfredo Medio (1977) e Bob Rowthorn (1980, especialmente cap.1). A teoria da exploração de Marx tem inspirado uma rica corrente de análises complementares do processo de trabalho, tanto em seu aspecto técnico quanto organizacional. A ciência e a tecnologia não apenas aprimoram a técnica; são governadas, se não determinadas, pelo imperativo da lucratividade, que, por sua vez, inclui a necessidade de controlar e disciplinar o trabalho (influenciando, assim, o que é inventado e como – e, analogamente, o que é adotado na produção e de que forma); ver Brighton Labour Process Group (1977), Les Levidow (2003), Les Levidow e Bob Young (1981, 1985), Phil Slater (1980), Bruno Tinel (2012) e Judy Wajcman (2002). Além disso, o imperativo para garantir a venda de maneira lucrativa implica um correspondente distanciamento dos produtos e métodos de venda em relação às necessidades sociais (como quer que sejam definidas e determinadas) dos consumidores; ver Ben Fine (2002), por exemplo. A título de contraste com a economia ortodoxa, que trata o trabalho como uma desutilidade advinda da necessidade, ao invés de uma consequência da sua organização no capitalismo, ver David Spencer (2008).

Por fim, a distinção entre trabalho produtivo e improdutivo é importante como ponto de partida para analisar os diferentes papeis dos trabalhadores dos setores industrial, financeiro, público etc., na reprodução econômica e social (ver capítulo 5). Há um debate importante sobre a validade e utilidade dessa distinção. Questiona-se, por exemplo, se todo trabalho (assalariado) explorado não deveria ser considerado fonte de mais-valor. Dentre aqueles que aceitam a distinção, há outra polêmica relevante, que diz respeito a quem deve ser considerado trabalhador produtivo. De um lado, sustenta-se uma definição mais restrita, que inclui apenas o trabalho assalariado manual; de outro, defende-se uma forma mais ampla, capaz de abranger todos os trabalhadores assalariados. As categorias de trabalho produtivo e improdutivo podem ser encontradas em Marx (1976, apêndice, 1978, cap.4). Tais categorias são discutidas por Ben Fine e Laurence Harris (1979, cap.3), Simon Mohun (2003, 2012), Isaak I. Rubin (1975, cap.19, 1979, cap. 24), e Sungur Savran e Ahmet Tonak (1999).

Capítulo IV

O CIRCUITO DO CAPITAL INDUSTRIAL

O livro I d'*O Capital* é em grande medida autônomo e faz, primordialmente, uma análise geral do capitalismo e seu processo de desenvolvimento a partir da perspectiva da produção: quais são as relações sociais que permitem que o capital crie mais-valor, e como elas dão origem a realidades econômicas e desenvolvimentos sociais em torno da produção? Os outros dois livros d'*O Capital* se dedicam tanto a elaborar quanto a estender essa análise geral. Por essa razão, o livro II começa com uma investigação do circuito do capital. Este circuito fornece a base para a compreensão de uma série de fenômenos: o capital comercial, o capital portador de juros e o capital fixo; a distribuição da renda e do produto; a rotação do capital; o trabalho produtivo e o improdutivo; e as crises. O circuito oferece também uma estrutura analítica na qual as relações sociais da produção examinadas no livro I são apresentadas de forma mais concreta. Em outras palavras, os livros II e III tratam de como as relações de valor da produção, estudadas no livro I, geram efeitos mais complexos através de processos e estruturas de troca e distribuição.

O circuito do capital monetário

O livro II começa com uma exposição do circuito do capital monetário. Trata-se de uma expansão da caracterização do capital como valor que se autovaloriza (ver capítulo 3), considerando explicitamente o processo de produção. A fórmula geral do circuito do capital industrial é:

$$D - M \ldots P \ldots M' - D'$$

Nas circunstâncias mais gerais, e independentemente da mercadoria produzida, os capitalistas industriais adiantam capital monetário (*D*) para comprar mercadorias (*M*), que incluem tanto a força de trabalho (*FT*) quanto os meios de produção (*MP*). Note-se que o dinheiro é necessário para tais transações, mas não é ele que as torna possíveis. Somente a separação entre a força de trabalho e os meios de produção – uma relação de classe na produção – permite que um determinado grupo de pessoas (os capitalistas) possa contratar outro (os trabalhadores) em troca de salários. Isso pode ser expresso pela separação explícita entre os meios de produção e a força de trabalho no circuito do capital:

$$D - M < \begin{matrix} MP \\ FT \end{matrix} \ldots P \ldots M' - D'$$

Na compra, os insumos (*M*) formam o capital produtivo (*P*). A produção se desenvolve à medida que a força de trabalho é exercida sobre os meios de produção. O resultado é a produção de diferentes mercadorias com um valor maior (*M'*). *M* e *M'* estão vinculadas a *P* por pontos indicando que a produção aconteceu entre a compra dos insumos (*M*) e a venda dos produtos (*M'*). As mercadorias produzidas são designadas por *M'* não porque seu valor de uso seja diferente daquele dos meios de produção (embora geralmente o sejam), mas porque contêm mais-valia além do valor do capital adiantado, *D*. Isso é revelado pela venda do produto por uma quantidade maior de dinheiro, $D' > D$.

Foi mostrado no capítulo 3 que o mais-valor, $m = D' - D$, é criado na produção pela compra da força de trabalho por seu valor, o qual é inferior ao tempo de trabalho despendido (ou o valor criado) na produção. O mais-valor surge, em primeiro lugar, na forma de mercadoria, imediatamente após a produção. Como os insumos (especialmente a força de trabalho, as ferramentas, as máquinas e as edificações) parecem equivalentes em suas contribuições ao produto, é fácil atribuir a criação de mais-valor indistintamente à produtividade de *todos* os fatores de produção, sem que se possa diferenciar entre eles. No mesmo sentido, é difícil atribuir o mais-valor ao excesso do tempo de trabalho efetivo sobre o necessário, pois ele só aparece depois da produção, ao passo que a livre troca da força de trabalho por seu valor ocorre antes disso (mesmo quando os salários são pagos no final do período).

O valor produzido (assim como o mais-valor) é convertido em dinheiro através da venda do produto no mercado. Após obter as receitas da venda, *D'*, os capitalistas podem reiniciar a circulação do capital – seja na mesma escala (ao renovar o avanço de capital original, *D*, com base em dados preços e tecnologias, e gastar o mais-valor no consumo), seja no âmbito de um circuito expandido, através do investimento de parte do mais-valor (ver abaixo e no capítulo 5).

O circuito como um todo

Como visto acima (e no capítulo 3), o capital é a relação social que sustenta a autovalorização do valor, ou seja, sustenta a produção, apropriação e acumulação de mais-valor. O capital, enquanto valor que se autovaloriza, é essencialmente o processo de reprodução de valor e produção de novo valor. O circuito do capital descreve esse movimento e ressalta que o capital assume formas diferentes no seu processo de reprodução. O capital, enquanto relação social, sucessivamente toma e abandona as formas de dinheiro, capital produtivo e mercadorias.

O circuito do capital industrial pode ser representado por um fluxograma circular (ver figura 4.1). Esse circuito é importante para evidenciar a estrutura básica da economia capitalista e para mostrar como as esferas da produção e da troca estão integradas entre si através do movimento do capital enquanto (mais) valor que é produzido, distribuído e trocado. À medida que a circulação se repete, o mais-valor (*m*) é expelido. Assim, o capital enquanto valor que se autovaloriza compreende não apenas as relações sociais de produção definidas, mas também um movimento circular que, repetidamente, percorre seus vários estágios.

Se *m* é acumulado para uso como capital, podemos pensar na reprodução ampliada como sendo representada por um movimento espiral para fora.

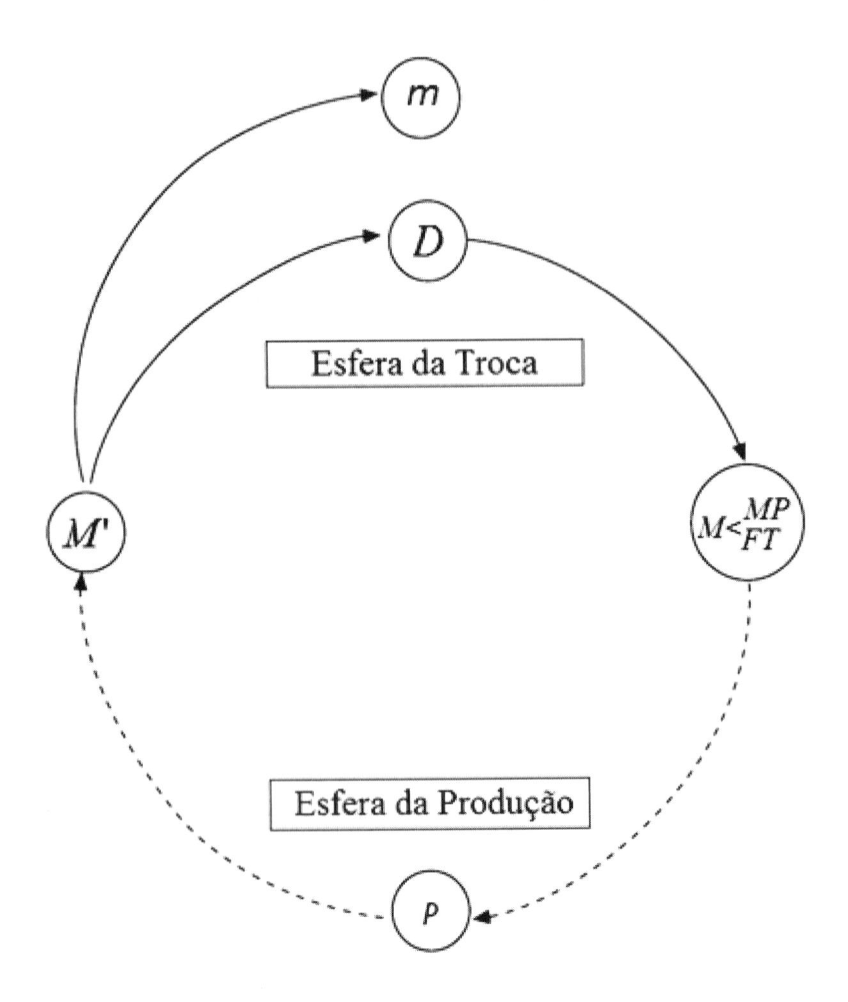

Figura 4.1 O circuito do capital

O capital industrial se modifica sucessivamente em suas três formas: capital monetário (*D*), capital produtivo (*P*) e capital-mercadoria (*M* '). Cada forma pressupõe a existência das duas outras porque pressupõe o próprio circuito. Isso nos permite distinguir a função *específica* de cada uma das formas do capital da sua função *geral* enquanto capital. Nas sociedades onde essas formas existem, o dinheiro, os insumos e as mercadorias podem sempre funcionar, respectivamente, como meio de pagamento, meios de produção e repositórios de valor de troca. Mas esses elementos só servem como *capital* (industrial) quando desempenham sequencialmente essas funções no circuito do capital. Neste caso, o capital monetário funciona como meio de compra da força de trabalho, o capital produtivo funciona como meio de produção de mais-valor, e o capital-mercadoria funciona como repositório do mais-valor a ser realizado como dinheiro na venda.

Duas esferas de atividade podem ser identificadas no movimento do capital ao longo do circuito: a produção e a circulação (troca). A esfera da produção situa-se entre *M* e *M'*. Nela, os valores de uso são transformados, e valor e mais-valor são criados. Isso tem profundas implicações para a teoria da distribuição de Marx, pois explica o que há para ser distribuído, bem como as estruturas e processos de distribuição de bens e valores na economia. A esfera da circulação contém tanto o processo de troca (entre *M'* e *M*) quanto a realização do mais-valor, *m*.

Foi mostrado no capítulo 3 que, mesmo se capital e trabalho forem empregados na troca, eles não adicionam valor ao produto. Essa conclusão parece estranha aos economistas ortodoxos, pois estes geralmente estão interessados na formulação de uma teoria dos preços pela agregação da (supostamente independente) contribuição de todos os fatores usados na produção *e* na troca. Marx, ao contrário, busca entender as relações sociais de produção e distribuição, bem como as estruturas de distribuição dos valores produzidos durante o circuito do capital. Por exemplo, ele mantém que, embora o capital comercial não acrescente valor, isto não o impede de receber uma porção do (mais) valor produzido (ver capítulo 11).

Quando se constrói o circuito do capital de forma circular (como na Figura 4.1), torna-se completamente arbitrário estabelecer o capital monetário como seu ponto de partida e de chegada: em um círculo, não há início nem fim. Note-se que a circulação monetária inclui a interrupção da esfera da circulação pela esfera da produção. Ao se caracterizar o capital como valor que se autovaloriza, revela-se que o motivo dos capitalistas é o de comprar para vender mais caro. Assim, para o capital visto da perspectiva da circulação monetária, a produção aparece como uma necessária, mas inconveniente (e até desbaratada) interrupção no processo de fazer dinheiro. O capital comercial e o capital portador de juros evitam tal interrupção, embora dependam da realização da produção em outro lugar. Entretanto, o que é possível para um capitalista (comercial ou portador de juros) individual não é necessariamente possível para todos ou sequer para a maioria dos capitalistas. Se os capitalistas de uma nação fossem seduzidos pelo desejo de lucrar sem o inevitável elo da produção, eles rapidamente se descobririam em um *boom* especulativo destinado a ruir. Nesse ponto, a economia seria trazida de volta à realidade da necessidade da produção – a fonte única do valor necessário para pagar dividendos, honrar dívidas e liquidar compromissos financeiros (ver capítulos 7, 12 e 14).

Além das esferas da produção e da distribuição, Marx também examina o circuito do capital a partir de duas outras perspectivas: a do capital produtivo e a do capital-mercadoria. O circuito do capital produtivo começa e termina com *P*, a produção. Sua finalidade parece, portanto, ser a produção e, na medida em que o mais-valor é acumulado, a produção em escala ampliada. Em contraste com a circulação monetária, no circuito produtivo, a esfera da circulação aparece como uma intrusão necessária, porém indesejada, no processo de produção. Todavia, como foi demonstrado acima, não basta que o (mais) valor seja produzido; ele também precisa ser realizado na venda. Os economistas tendem a ignorar a mediação necessária, porém incerta, das trocas com mais frequência do que os capitalistas; pois qualquer capitalista que inadvertidamente acumule um estoque crescente de mercadorias será eventualmente acordado de seu torpor pela perda de seu capital de giro. Por fim, a circulação do capital-mercadoria se inicia e se encerra com *M'*. Seu propósito parece, portanto, ser o de satisfazer as necessidades de consumo da sociedade. Entretanto, como a esfera da circulação é sucedida pela da produção, nenhuma das duas esferas é realmente interrompida pela outra, e nenhuma aparece como desnecessária ou desbaratada.

Os três circuitos do capital derivam da circulação do capital como um todo. Pode-se perguntar por que não existem quatro circuitos, com cada "nó" (*P*, *M '*, *D* e *M*) formando um ponto de partida e de chegada.

A razão pela qual *M* não é a base para um circuito do capital é que *M* não é capital. Os meios de produção comprados podem ser a mercadoria de outro capitalista e, portanto, capital-mercadoria. Contudo, a força de trabalho não é capital até que seja comprada. Nesse momento, ela se torna capital produtivo e não capital-mercadoria (o qual deve conter mais-valor produzido anteriormente). Portanto, se, de um ponto de vista técnico, o capitalismo pode ser autossuficiente quanto a suas matérias-primas, esse modo de produção sempre – e necessariamente – dependerá da reprodução social da força de trabalho fora do sistema de produção puro (ver Capítulo 5). Isso implica o uso de poder político, ideológico e jurídico, assim como do poder econômico, com o fim de colocar o trabalhador para trabalhar. É evidente que, quando se coloca uma máquina para trabalhar, tais problemas não se colocam.

Foi demonstrado acima que se pode construir perspectivas distintas do processo de reprodução do capital, cada uma correspondendo a um circuito do capital. Tais perspectivas não precisam ser acríticas ao capitalismo; mas, individualmente, elas são sempre inadequadas, na medida em que enfatizam separadamente apenas um ou outro dos processos – o de produção, o de consumo, o de troca, o de geração de lucro e acumulação – à custa dos outros. Por exemplo, quando entram no circuito, a força de trabalho e os meios de produção aparecem momentaneamente separados. Como não formam capital, porém, eles não reproduzem nem representam o circuito como um todo. Em parte, por essa razão, as teorias econômicas ortodoxas parecem eliminar as relações de classe. Essas relações, todavia, são reintroduzidas nessas teorias como relações distributivas ou de troca, ao invés de relações de produção.

Em contraste, o circuito monetário sugere modelos de troca. Para a economia ortodoxa, a correspondência entre oferta e demanda se torna o cerne da questão, enquanto o capital e o trabalho são vistos meramente como serviços produtivos. As dificuldades ficam associadas ao fornecimento de informações através do mecanismo de preços (e da taxa de juros). Por sua vez, o circuito produtivo tende a ignorar o mercado, como na teoria neoclássica e na maior parte das teorias do crescimento. Tais teorias proporcionam uma excelente análise insumo-produto da reprodução econômica, sem, no entanto, precisar o caráter capitalista da economia. Por fim, o circuito do capital-mercadoria é refletido pela teoria neoclássica do equilíbrio geral, onde a oferta e a demanda interagem harmoniosamente através da produção e da troca para gerar o consumo final. Este circuito sustenta o mito de que o propósito da produção é o consumo, ao invés do lucro ou da troca, como é ilustrado pelos diagramas da caixa de Edgeworth, tão familiares aos estudantes de economia. Um dos pontos fortes da análise de Marx do circuito do capital é a demonstração das limitações desses enfoques. Ao mesmo tempo, Marx revela as funções das formas nas quais o capital se manifesta, construindo os fundamentos para a compreensão dos principais fenômenos e categorias econômicos.

Questões e leituras adicionais

A análise de Marx sobre a troca, especialmente no livro II d'*O Capital*, tem sido relativamente negligenciada, apesar de sua enorme importância analítica. Busca-se frequentemente complementar a teoria marxista da produção com a teoria keynesiana da demanda efetiva, como se os dois aspectos da teoria de Marx estivessem submetidos a tratamentos diferentes. Como sugerido aqui e nas próprias formulações de Marx, a produção e a troca estão estruturalmente separadas, mas são integralmente relacionadas através dos circuitos do capital. Tal análise é desenvolvida em Marx (1976, parte 2, 1978, partes 1-2). Ver, também, Ben Fine (1980, cap. 2) e Alfredo Saad Filho (2002, caps. 3-5). Sobre o livro II d'*O Capital*, ver Chris Arthur e Geert Reuten (1998). Para interpretações similares àquelas oferecidas aqui, ver David Harvey (1999, cap.3) e Roman Rosdolsky (1977, parte 4). Os conceitos de dinheiro como dinheiro e dinheiro como capital são explicados por Costas Lapavitsas (2003) e Roman Rosdolsky (1977, parte 3).

Capítulo V
REPRODUÇÃO ECONÔMICA

O capítulo anterior examinou um circuito individual do capital industrial. Entretanto, para o capital como um todo, há um grande número de circuitos, cada um se movendo no seu próprio ritmo e se expandindo a uma taxa própria. Esses circuitos devem ser integrados. Marx analisa esses processos no livro II d'*O Capital* dividindo a economia em dois grandes setores: o departamento 1, que produz os meios de produção (*MP*, comprados com capital constante, *c*), e o departamento 2, que produz os meios de consumo (comprados pelos trabalhadores a partir do equivalente salarial do capital variável, *v*, e pelos capitalistas a partir do mais-valor, *m*). O presente capítulo examinará o processo de reprodução do capital como um todo. Inicia-se com uma análise da *reprodução simples*, em que não há acumulação de capital. Em seguida, o capítulo aborda a *reprodução ampliada*, quando parte do mais-valor é investido. Por fim, o capítulo considera a reprodução social da economia capitalista.

Reprodução Simples

Na figura 5.1, as relações entre os departamentos 1 e 2 em condições de reprodução simples são ilustradas por um fluxograma que mostra os valores e as mercadorias de cada setor e seus equivalentes em dinheiro. Há dois circuitos: $D_1 - M_1 \ldots P_1 \ldots M'_1 - D'_1$ e $D_2 - M_2 \ldots P_2 \ldots M'_2 - D'_2$ (sendo que D'_1 e D'_2 são depositados no fundo ou reserva central de dinheiro, D, de onde eles *fluem novamente para os circuitos*). A figura mostra também os fluxos de mercadorias. Estas se movem no sentido oposto ao do dinheiro usado para comprá-las, à medida que trabalhadores e capitalistas, de um lado, compram bens de consumo do departamento 2 por meio dos seus salários, v_1 e v_2, e mais-valores, m_1 e m_2, e capitalistas, de outro, compram meios de produção, c_1 e c_2, do departamento 1 (os trabalhadores não compram meios de produção, e nós ignoramos as poupanças).

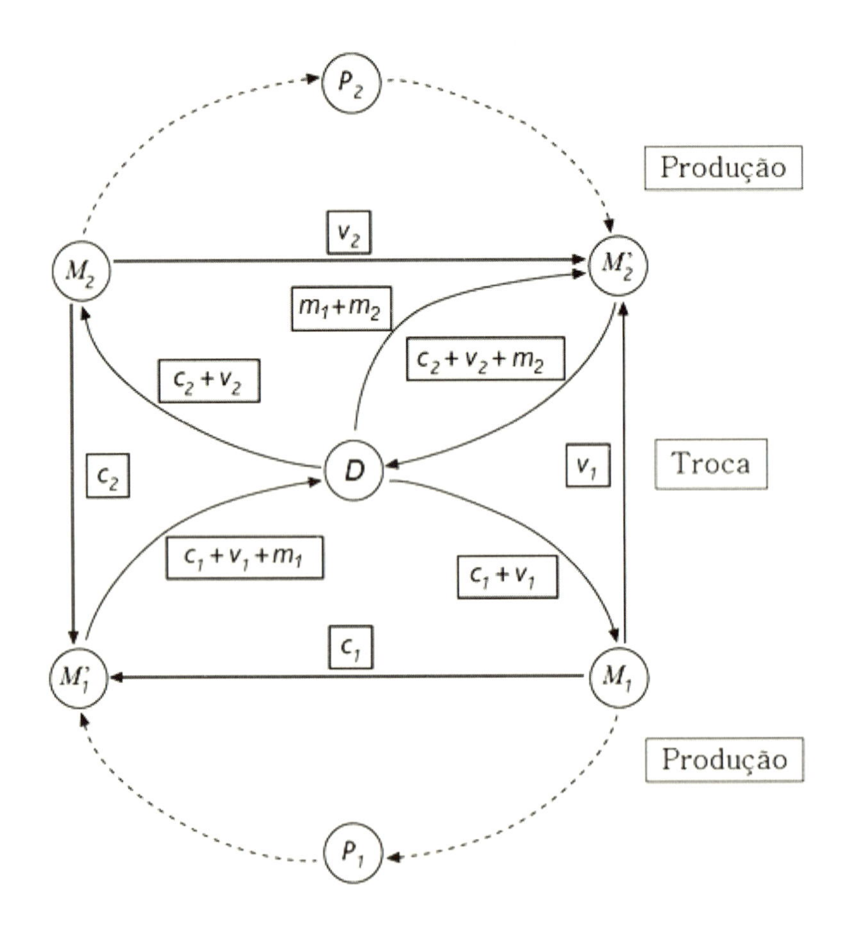

Figura 5.1 Reprodução econômica

Se não há progresso técnico, e se os capitalistas gastam todo o mais-valor no consumo e meramente repetem o padrão anterior de produção, a economia pode se reproduzir no mesmo nível de atividade. Marx denomina esse processo de reprodução simples. Tal reprodução implica certa correspondência entre os valores produzidos pelos dois departamentos. O valor dos produtos do departamento 1 é $c_1 + v_1 + m_1$, e o valor de suas vendas de meios de produção é $c_1 + c_2$. Portanto, na reprodução simples:

$$c_1 + v_1 + m_1 = c_1 + c_2$$

Analogamente, a igualdade entre o valor dos produtos e o valor das vendas de bens de consumo se dá para o departamento 2 da seguinte maneira:

$$c_2 + v_2 + m_2 = v_1 + v_2 + m_1 + m_2$$

Cada uma das expressões acima pode ser simplificada para:

$$v_1 + m_1 = c_2$$

Esta é a famosa equação de Marx para explicar o balanceamento entre os dois departamentos na reprodução simples.

Reprodução ampliada

Se os capitalistas não consumirem inteiramente o mais-valor, mas gastarem parte dele comprando meios de produção adicionais, há acumulação de capital. Nesse caso, as aquisições de meios de produção pelos capitalistas, $c_1 + v_1 + m_1$, para o próximo período excedem o uso atual, $c_1 + c_2$. Por conseguinte, na reprodução ampliada, $c_1 + v_1 + m_1 > c_1 + c_2$:

$$v_1 + m_1 > c_2$$

sendo que a magnitude da desigualdade depende da taxa de acumulação.

Os esquemas de reprodução de Marx têm sido interpretados de várias maneiras. Uma das interpretações mais populares sugere que eles oferecem uma análise das condições de *equilíbrio* econômico, seja estático (para a reprodução simples) ou dinâmico (reprodução expandida). Alternativamente, tomando a teoria ortodoxa do crescimento como referência, a reprodução ampliada é vista meramente como versão expandida da reprodução simples. A economia parece a mesma em todos os aspectos, exceto por ser maior.

Nenhuma dessas interpretações está em consonância com o espírito da análise de Marx. Primeiro, sua metodologia se opõe completamente ao uso da noção de equilíbrio como conceito organizador da análise do capitalismo. Segundo, nos esquemas de reprodução, Marx está preocupado em mostrar como, apesar da coordenação aparentemente caótica dos produtores na troca, *tanto* a reprodução simples *quanto* a ampliada existem no sistema capitalista. Em outras palavras, a reprodução simples e a ampliada não são alternativas entre si, nem teórica, nem empiricamente. Pelo contrário, a primeira existe no interior da segunda: a reprodução ampliada depende das condições da reprodução simples, que constituem seu ponto de partida, ao mesmo tempo em que rompe com elas – quer nas magnitudes do valor agregado, quer nos valores das próprias mercadorias, que estão sujeitos ao aumento de produtividade que resulta da acumulação. Ademais, Marx nunca deriva a conclusão (própria da teoria do equilíbrio geral ou dos proponentes do *laissez-faire*) de que diferentes produtores e consumidores se coordenam harmoniosamente através do mercado – o que levaria a níveis elevados de emprego e ocupação da capacidade instalada. Ao contrário, os esquemas de reprodução de Marx apontam para três correspondências distintas requeridas pela reprodução e acumulação de capital.

A primeira correspondência refere-se aos valores, como já ilustrado. A segunda, ao dinheiro e aos preços, já que o circuito requer que eles correspondam ao fluxo de valores. A terceira refere-se aos valores de uso, pois quantidades apropriadas de mercadorias precisam ser produzidas e trocadas umas com as outras, tanto no interior de cada departamento quanto entre eles.

De acordo com o esquema descrito acima, as quantidades de valor exibidas têm uma relação quantitativa indeterminada com os valores de uso correspondentes. Contudo, eles não podem ser inteiramente independentes. Dados os fluxos de valor, o crescimento assimétrico de produtividade levaria, por exemplo, à transferência de recursos entre os dois departamentos e à modificação dos fluxos de valor de uso entre eles. Portanto, para Marx, as relações entre os dois departamentos devem envolver não apenas a coordenação, através da economia, entre os fluxos de valor já especificados, e dos fluxos complementares de dinheiro, cujas magnitudes são determinadas pelo sistema de preços; mas além disso, deve haver um balanço entre os fluxos de valores de uso determinados pela tecnologia, a composição do produto, e assim por diante.

O diagrama da reprodução econômica (figura 5.1) pode ser usado para reforçar as visões parciais da economia que foram apresentadas no capítulo anterior à luz de um circuito individual do capital. Ainda que, do ponto de vista qualitativo, acrescente pouco, a figura sugere o que pode ser considerado como um conjunto de fatores que determinam o nível de atividade econômica. Note-se, primeiro, que a ideologia e a teoria econômicas ortodoxas tendem a focar na "caixa" central da atividade de troca, em relação à qual as duas esferas de produção parecem ser externas. Isso geralmente leva à percepção equivocada de que a produção pode ser ignorada, ou que ela pode ser reduzida a uma mera relação técnica que sustenta, de forma não problemática, as relações de troca, como na função de produção neoclássica.

Esse equívoco é particularmente evidente na teoria neoclássica do equilíbrio geral: as trocas no "livre mercado" são consideradas suficientes para garantir a igualdade entre oferta e demanda com pleno emprego dos recursos econômicos. Na análise de estabilidade, a questão é se as desproporções entre as várias quantidades no interior dos circuitos se autocorrigem através de movimentos de preços que respondem a excessos de oferta ou de demanda.

Para a teoria keynesiana, o papel da demanda agregada é determinante. Se enfatizarmos o multiplicador de investimento, o nível de $c_1 + c_2$ assume papel central. Se adicionarmos o papel do consumo, essa despesa advinda da renda nacional ($v_1 + v_2 + m_1 + m_2$) também se torna importante. Dessa perspectiva, a função consumo tem mais afinidade com os métodos pós-keynesianos de determinação da demanda agregada, nos quais a renda é dividida entre salários e lucros. Mas o ponto essencial continua sendo que, a partir dessas perspectivas, é um conjunto específico de fluxos de despesas que impulsiona a atividade econômica: nestas abordagens, a produção de mais-valor e o conflito entre capital e trabalho não cumprem papel relevante.

Uma análise pós-keynesiana mais sofisticada incluiria a função do dinheiro. Dessa perspectiva, o nível de atividade econômica é determinado pelos fluxos monetários que emergem da reserva central, *D*. Se eles forem restritos, seja pela timidez dos empresários, seja por políticas monetárias contracionistas impostas pelo Banco Central, a economia perde dinamismo. Os papéis do sistema bancário e da taxa de juros serão abordados no capítulo 12. Aqui é importante notar que, desse ponto de vista, a fonte do desemprego se encontra na insuficiência da atividade de troca, que determina a (in)capacidade da economia de gerar lucros. Na teoria de Keynes, isso depende em grande medida de ondas de pessimismo, nas quais as expectativas negativas a respeito da lucratividade empresarial (ou expectativas de elevadas taxas de juros) tornam-se profecias autorrealizáveis. De modo geral, desenvolvimentos recentes nas teorias econômicas ortodoxas têm atribuído às expectativas (supostamente "racionais") um papel consideravelmente maior na determinação da trajetória da economia.

Teorias mais radicais, por sua vez, atribuem a determinação do nível de atividade econômica às relações distributivas entre o capital e o trabalho. Tais perspectivas são ideologicamente associadas tanto com a direita quanto com a esquerda. A primeira sustenta que o poder dos sindicatos precisa ser limitado para restaurar a lucratividade; a segunda, que os conflitos em questão são irreconciliáveis nos limites do capitalismo. Analiticamente, essa perspectiva depende de um argumento que assemelha a economia a um "bolo" de dado tamanho, ou seja, a renda nacional $v_1 + v_2 + m_1 + m_2$ é dividida entre as duas classes, de modo que uma pode ganhar apenas às custas da outra. Por exemplo, se os salários, representados por $v_1 + v_2$, subirem demais, os lucros, representados por $m_1 + m_2$, necessariamente caem, o que corrói tanto a motivação quanto a capacidade de acumular.

Apesar de sua aparência "radical", essa visão diverge significativamente da compreensão de Marx da estrutura da economia capitalista. A atribuição de papel central à distribuição na determinação dos lucros só é possível se a análise for limitada a (uma parte da) arena da troca. Uma vez incorporada à esfera da produção, a aparente simetria entre capital e trabalho nas relações distributivas e no recebimento de lucros e salários derivados da renda nacional imediatamente evapora, pois o pagamento de salários é uma *condição necessária* para que a produção se inicie (ou, para ser mais exato, a compra da força de trabalho, cujo pagamento pode ser feito mais tarde). Em contraste, os lucros são o resíduo deixado após o pagamento de salários e outros custos de produção, ao invés de serem uma "fatia do bolo" cujo tamanho pode ser negociado antecipadamente. Para Marx, as relações distributivas entre o capital e o trabalho não são do tipo "bolo fixo", mesmo que, *ceteris paribus*, os lucros aumentem quando os salários caiam (embora os pós-keynesianos possam argumentar o contrário em razão das insuficiências de demanda). Os lucros dependem, acima de tudo, da capacidade dos capitalistas de extrair mais-valor na produção. Seja qual for o nível dos salários, os capitalistas precisam coagir o trabalhador a trabalhar além do tempo necessário para produzir os salários, mantendo uma produtividade que depende tanto da maquinaria disponível quanto da disciplina laboral.

A incerteza sobre a produção de mais-valor é apenas um dos tipos de incerteza que os capitalistas enfrentam. Quatro outros tipos de incerteza também são relevantes. Em primeiro lugar, ao produzir mais-valor, os capitalistas não sabem quanto dele pode ser realizado antes do produto ser vendido. Em segundo, a extração de mais-valor sob condições competitivas leva a contínuas mudanças técnicas que aumentam a produtividade. Entretanto, como foi visto acima, as mudanças técnicas tensionam os balanços entre os fluxos de valor e valor de uso na economia (o que pode reforçar relações antagônicas no chão de fábrica), aumentando ainda mais a incerteza. Em terceiro, como será discutido nos capítulos 12 e 14, o crédito torna os recursos do sistema financeiro disponíveis para os capitalistas individuais. Isso estimula uma acumulação de capital que nem sempre pode ser sustentada, criando instabilidades que podem levar a crises financeiras e econômicas. Por exemplo, o crédito pode induzir os capitalistas industriais a antecipar retornos favoráveis quando estes não são possíveis e, quando novos créditos são usados para pagar obrigações antigas, a expansão desmesurada da acumulação pode levar a crises econômicas. Por fim, a incerteza se torna ainda maior quando o próprio dinheiro é transformado em objeto de negócios, levando à formação de uma classe de intermediários financeiros que têm apenas uma ligação tênue com a produção e a troca. O comércio de dinheiro e instrumentos monetários tende a promover a especulação desestabilizadora e as fraudes, criando incertezas adicionais até para aqueles que não se envolvem diretamente em tais atividades.

Por um lado, para Marx, a extração de mais-valor absoluto e relativo é crucial para a compreensão das relações distributivas (embora estas últimas não possam, evidentemente, ser derivadas de maneira imediata das condições de produção). Por outro lado, a incerteza gerada pela *produção* capitalista (ao invés das variações de humor dos capitalistas industriais e financeiros) desempenha um papel crucial tanto na extração de mais-valor, quanto no desencadeamento de crises.

Reprodução social

As seções anteriores examinaram a reprodução simples e ampliada exclusivamente da perspectiva do sistema econômico. Em princípio, salvo uma exceção fundamental, os circuitos do capital parecem autossustentáveis. A notável exceção refere-se à força de trabalho, cuja reprodução exige, primeiro, a provisão adequada de bens de salário. Segundo, em virtude da liberdade dos trabalhadores ao final do dia de trabalho (bem como sua resistência tanto no local da produção quanto fora dele), o capital tem pouco controle sobre os processos de reprodução dos trabalhadores. A reprodução social assume o papel central nesse espaço. O processo de reprodução social envolve um complexo conjunto de relações, processos, estruturas, poderes e conflitos não-econômicos que, interpretados de maneira estreita, incluem os mecanismos necessários para a reprodução dos trabalhadores tanto biologicamente quanto como assalariados obedientes. De maneira mais geral, a reprodução social diz respeito a como a sociedade como um todo é reproduzida e transformada ao longo do tempo.

Em suma, e em grande medida corretamente, a reprodução social se tornou um termo amplo, que abriga todos os fatores não-econômicos.

Ela abrange, portanto, todo o terreno entre a categoria abstrata do *capital* e a realidade empírica do *capitalismo*. Mas essa definição abrange apenas parcialmente o alcance e o significado da reprodução social. Claramente, o capitalismo depende tanto da reprodução econômica quanto da social – da qual a reprodução econômica é apenas uma parte. A percepção equivocada da relação entre as duas já virou um lugar-comum, levando à errônea noção de que a reprodução econômica e a social estão separadas, assim como o trabalho e o lar. A justaposição inapropriada do econômico e do social (concebido como "superestrutura" política, cultural ou algo semelhante) é especialmente visível nas fronteiras disciplinares entre as ciências sociais.

Um dos espaços mais importantes para a reprodução econômica e social é o Estado. Por meio dele são constituídos e expressos processos, relações e conflitos políticos, que são distintos, mas não independentes, daqueles referentes à reprodução econômica. A dependência do Estado em relação à economia é questão controversa. As abordagens variam, por exemplo, entre o argumento de que o Estado é redutível a imperativos econômicos – especialmente os capitalistas – e o de que o Estado independe da economia. A natureza do Estado capitalista será abordada no capítulo 15. Aqui, cabe notar apenas que a tensão entre o "reducionismo" e a "autonomia" do Estado alude a problemas metodológicos, teóricos e empíricos de grande importância. O ponto fundamental é reconhecer a relação causal entre a economia capitalista e o domínio não-econômico, refletindo sobre os tipos de Estado, direito de propriedade, costumes, política etc. que prevalecem em cada sociedade.

Considerações similares se aplicam às áreas da reprodução social que se situam fora da órbita imediata do Estado, frequentemente chamadas de "sociedade civil". A reprodução social também depende do sistema doméstico ou familiar e de outras áreas de atividade privada, em especial o consumo e outras atividades da classe trabalhadora que a induzem e habilitam a se apresentar ao trabalho todos os dias.

Até agora, este capítulo tem enfatizado a reprodução social do trabalho. Mas a reprodução econômica é igualmente dependente da formação e transformação das condições que permitem a reprodução continuada dos circuitos do capital como um todo – por exemplo, o mercado e o sistema monetário e creditício, que exigem leis, regulações e assim por diante. Tais normas inevitavelmente promovem interesses de alguns capitalistas às custas de outros, ao mesmo tempo em que impedem que a rivalidade entre os capitalistas se torne indevidamente destrutiva. Essas questões são o objeto da política, do Estado e da sociedade civil.

No nível abstrato em que se situa esta exposição introdutória, é possível identificar apenas as condições necessárias para a (e induzidas pela) reprodução econômica, bem como o modo pelo qual a reprodução econômica e a social se estruturam e relacionam mutuamente. A questão que aqui se coloca, portanto, é: como a acumulação de capital é acomodada socialmente, e como se contém o conflito sobre ela? Para ir além disso, seria necessário analisar especificidades históricas, o que está além dos limites deste texto.

Questões e leituras adicionais

Como foi sugerido no capítulo anterior, a análise de Marx no livro II d'*O Capital* foi frequentemente negligenciada e, por isso, está relativamente livre de controvérsias. Para um estudo mais aprofundado do livro II, com alguma ênfase nos três diferentes – mas integralmente relacionados – circuitos do capital (vinculados ao capital monetário, ao capital produtivo e ao capital-mercadoria) e nas suas implicações para a ideologia econômica e as crises, ver Ben Fine (1975). A reprodução social, por sua vez, foi fortemente debatida, seja dentro do marxismo, seja contra ele. As controvérsias dizem respeito à relação entre o econômico e o não-econômico (e como cada um deles depende – ou não – do outro) e aos diferentes aspectos do não-econômico, desde a natureza da autonomia do Estado e da política até o papel da "sociedade civil".

Este capítulo enfatiza o material contido em Karl Marx (1978b, parte 3). A interpretação da reprodução social apresentada acima se apoia em Ben Fine (1992, 2013), Ben Fine e Ellen Leopold (1993) e Ben Fine,

Michael Heasman e Judith Wright (1996); ver também John Weeks (1983). O valor da força de trabalho e a reprodução da classe trabalhadora são discutidos em Ben Fine (1998, 2002, 2003, 2012); Ben Fine, Costas Lapavitsas e Alfredo Saad Filho (2004) e Alfredo Saad Filho (2002, cap.4); ver também Kenneth Lapides (1998), Michael Lebowitz (2003 e 2009, cap. 1) e David Spencer (2008), bem como o debate entre Ben Fine e Michael Lebowitz em Fine (2008, 2009) e Lebowitz (2006, 2010).

Capítulo VI
A ACUMULAÇÃO DE CAPITAL

Os capítulos anteriores caracterizaram o capitalismo como um modo de produção. Isso nos oferece uma moldura teórica dentro da qual a acumulação de capital e o desenvolvimento histórico do capitalismo como modo de produção dominante no mundo podem ser entendidos. Dessa perspectiva, uma vez descobertas as relações de produção específicas ao capitalismo, as forças sistêmicas por trás de sua criação, operação, reprodução e desenvolvimento podem ser isoladas do conjunto de fenômenos que ocorrem de modo mais ou menos simultâneo na sociedade.

Marx dedica amplas seções do Volume 1 d'*O Capital* à tarefa de interpretar a gênese do capitalismo britânico e o papel fundamental desempenhado pela compulsão por acumular. Trata-se de fator central e confirmação de sua concepção de mudança histórica. Neste capítulo, ofereceremos apenas um esboço de sua reflexão. Para aqueles interessados em se aprofundar nessa questão, recomenda-se a consulta da análise do próprio Marx n'*O capital* e dos estudos mais concretos das causas, natureza, momentos e lugares da primeira e das subsequentes transições capitalistas e "revoluções industriais" realizados por marxistas posteriores.

Acumulação primitiva

Uma característica essencial do capitalismo é a existência da força de trabalho como mercadoria, cuja condição necessária é a separação ente o trabalhador e os meios de produção. Os trabalhadores dependem de outra pessoa para prover os meios de produção; afinal, se tivessem acesso imediato a eles, eles venderiam o produto do seu trabalho – e não a sua capacidade de trabalhar (supondo que a troca de produtos no mercado existisse em tais circunstâncias). Por esse motivo, do outro lado da moeda está o capitalista com dinheiro para adiantar na compra da força de trabalho e com os recursos econômicos, ideológicos e legais – entre outros – necessários à manutenção da propriedade dos meios de produção. O estabelecimento histórico dessas relações sociais de produção a partir da estrutura feudal na Inglaterra contém a chave para a gênese do capitalismo.

Em qualquer sociedade (salvo as mais primitivas), haverá alguma economia de produtos correntes e produção de insumos duráveis para formar os meios de produção para uso futuro, seja na forma de sementes, animais, armas de caça ou outros implementos. Um dos traços distintivos do capitalismo é o aumento da taxa de poupança. Marx percebeu que, uma vez estabelecido o capitalismo, os economistas em geral passaram a atribuir o aumento das poupanças ao sacrifício pessoal de empreendedores energéticos, que canalizam seus parcos lucros de volta aos seus negócios e cultivam, assim, o seu crescimento (mais recentemente, a observação de que uma parte demasiadamente pequena da renda nacional é poupada nos países pobres tem sido considerada por muitos economistas como uma importante barreira ao desenvolvimento).

Marx escarnece da teoria do sacrifício pessoal. Para ele, o capitalismo é fundado na separação forçada dos trabalhadores e dos meios de produção. Na Grã-Bretanha, a evidência histórica mostra que essa separação não foi o produto cumulativo da frugalidade individual e da abnegada devoção ao trabalho em pequenas fazendas e empresas familiares que, muito gradualmente, teriam conseguido se enriquecer; pelo contrário, ela foi por vezes brutalmente imposta por grandes proprietários de terra, pela aristocracia e pelo Estado. Tal separação forçada implicou a conversão do uso tradicional (feudal) dos meios de produção e da força de trabalho para seu uso em unidades de produção capitalistas. Essa conversão não exige qualquer acumulação adicional de meios de produção ou mesmo seu uso mais eficiente, apenas sua redistribuição e operação de acordo com as novas relações sociais. Uma vez que ela tenha se realizado, o processo de acumulação competitiva ganha um impulso próprio (ver abaixo e os capítulos 3 e 4).

Como a agricultura era, de longe, o setor dominante na era pré-capitalista, tanto em termos daquilo que era produzido quanto em volume de empregos, este setor foi a fonte da classe de trabalhadores assalariados "livres". O segredo da acumulação primitiva ou originária do capital está, portanto, na expropriação da terra da população agrícola e na destruição do direito ou costume de cultivo independente e individual (mesmo se as obrigações feudais tivessem de ser pagas). Isso poderia acontecer, em um nível individual, por iniciativa dos proprietários de terra, em resposta ao crescente imperativo das trocas mercantis. A expropriação da terra podia ser motivada, por exemplo, por pressões para a obtenção de dinheiro em razão da acumulação de dívidas, pelo impacto da inflação secular, pelo aumento do preço da lã em relação aos preços dos grãos – o que requereria o trabalho de um número menor de pessoas no campo – e assim por diante.

Quaisquer que fossem suas causas imediatas, essas transformações necessitavam do poder do Estado, sem o qual o processo violento – e violentamente resistido – de acumulação originária não poderia ter avançado. A intervenção estatal, representando os interesses da classe capitalista emergente, era dupla. Por um lado, movimentos de cercamentos expropriaram o campesinato tanto do uso de terras comunais quanto das terras de propriedade individual. A resistência foi esmagada de maneira feroz, generalizada e brutal. Dessa maneira, criou-se uma classe de trabalhadores sem-terra. Por outro lado, a legislação salarial e os perversos sistemas de "seguridade social", culminando na infame Lei dos Pobres de 1834, forçavam os novos trabalhadores sem-terra a longas horas de trabalho e impunham sobre eles uma severa disciplina. O impacto combinado dessas transformações, ao longo de várias décadas, transformou a maioria dos camponeses em trabalhadores assalariados, criando a fonte potencial de mais-valor absoluto.

Aqui, Marx enfatiza a mudança do *uso* dos meios de produção existentes, ao invés de sua acumulação. Sem dúvida, o progresso técnico e a reorganização da produção contribuíram para o crescimento do produto agrícola que alimentaria a indústria e os trabalhadores industriais. Simultaneamente, mas secundariamente, o progresso técnico também contribuiu para o aumento da produção manufatureira requerida como insumo na agricultura. Entretanto, poucos trabalhadores sentiram o benefício desse aumento da produção, e mesmo aqueles que o sentiram devem tê-lo considerado irrelevante frente à deterioração das suas condições de trabalho e à destruição de seu modo de vida. Ilustrativo disso é o papel essencial desempenhado pela força física e pelo Estado na criação do proletariado, que resultou não da operação tranquila de forças de mercado que exprimiriam as "preferências" dos proprietários de terra, camponeses e trabalhadores assalariados, mas sim da atuação da polícia, do exército, dos sistemas tributário e judiciário, e assim por diante. A origem tumultuada do proletariado contrasta com a maioria das relações de trabalho atuais, nas quais a compulsão cega das necessidades econômicas e o seu aprofundamento pelas tradições, educação, hábitos e leis induz a classe trabalhadora a enxergar as condições do modo de produção capitalista como autoevidentes, moralmente justificadas e inevitáveis. Como o trabalho agora está profundamente atado ao capital – o que cria a aparência de que sempre foi assim e de que assim sempre será –, a força, atualmente, quase nunca precisa estar em primeiro plano, embora esteja sempre disponível em caso de necessidade.

Esse breve relato explica as origens das relações de produção capitalista. No século XVII, o primeiro movimento de cercamento havia sido completado (outro se seguiria no século XVIII), criando uma classe trabalhadora sem terras, bem como uma classe de capitalistas – formada, de início, por agricultores. No século XVIII, o uso da dívida pública, o sistema tributário, políticas comerciais protecionistas e a exploração das colônias em prol da acumulação de riqueza atingiram seu ápice. A combinação de trabalho e riqueza em relações capitalistas acompanhou esses processos, e o século XIX trouxe consigo um ritmo acelerado de inovação tecnológica e o rápido crescimento da sociedade industrial.

Deve-se reconhecer, todavia, que a criação do capitalismo na Grã-Bretanha diferiu consideravelmente da emergência do capitalismo em outros lugares. A expropriação forçada do campesinato da terra foi mais completa do que no resto da Europa e teve um caráter bastante diferente dos desenvolvimentos similares que tiveram lugar em outras partes do mundo. Na Grã-Bretanha, uma maior proporção da população foi transformada em trabalhadores assalariados. Isso se deu por meio da criação de um sistema de grandes propriedades fundiárias, tal que um número relativamente pequeno de aristocratas passou a deter a vasta maioria das terras. Em outras partes da Europa, bem como no nordeste dos Estados Unidos, o campesinato, ou partes dele, mostrou-se mais capaz de se defender, tomando posse de pequenas propriedades fundiárias e tornando-se, em grande medida, independente do trabalho assalariado. A importância dessas mudanças persiste até hoje: a agricultura da Grã-Bretanha ainda se caracteriza por fazendas maiores, e sua população trabalhadora compreende uma proporção muito menor de empregados no setor agrícola do que o resto da Europa.

Embora a análise de Marx da acumulação primitiva concentre-se na Grã-Bretanha e, portanto, trate de um caso particular, sua compreensão da formação da classe dos trabalhadores assalariados a partir da população agrícola permanece um ponto de partida essencial para o estudo das transições capitalistas na maior parte do mundo.

Ainda que, para Marx, o elemento crucial na transição para o capitalismo seja a formação de uma classe de trabalhadores assalariados a partir das relações de classe pré-capitalistas, sua reflexão deixa em aberto as causas e mecanismos imediatos dessas transições. Estes são diversos e complexos, abrangendo os diferentes fatores que contribuem para a formação dos mercados tanto antes quanto depois da transição, os quais incluem o papel do Estado, a colonização, o acesso ao crédito, os mercados de exportação, as mudanças no direito de propriedade, etc. Não é de surpreender que, como já foi observado, as transições para o capitalismo não apenas têm sido variadas em conteúdo e trajetória, mas também têm sido fortemente debatidas tanto dentro do marxismo quanto entre o marxismo e outras abordagens.

O desenvolvimento da produção capitalista

Na Grã-Bretanha, o capitalismo emergiu gradualmente, em grande medida pela coincidência de condições econômicas favoráveis, incluindo a descoberta e acumulação de metais preciosos, as rendas e salários baixos e as políticas econômicas proativas, inspiradas em parte pelo mercantilismo. A gênese subsequente do capitalismo industrial foi mais rápida que em outros lugares, desenvolvendo-se a partir de artesãos e guildas e da absorção dos trabalhadores expulsos pela agricultura capitalista. Simultaneamente, o fim do sustento largamente autossuficiente do campesinato criou um mercado doméstico para o capital industrial. Antes, os camponeses tinham sido em geral capazes de prover às próprias necessidades pelo seu controle dos meios de produção (especialmente a terra e as ferramentas agrícolas) de acordo com o costume feudal. Com o advento do capitalismo, os produtores independentes remanescentes precisavam de dinheiro para comprar sementes, ferramentas e outros implementos agrícolas, e para pagar impostos; isso contribuiu para a sua transformação em trabalhadores assalariados. Note-se, portanto, que o capital não elimina necessariamente a produção doméstica em razão de sua eficiência superior. Pelo contrário, a produção doméstica persiste até hoje – por exemplo, em pequenas empresas e *sweatshops*[8]. Grande parte dessa produção está, no entanto, destruída e amplamente subordinada à produção capitalista em função das mudanças sociais associadas à ascensão do capitalismo. O campesinato inglês, por exemplo, foi destruído por ter sido violentamente expulso da terra e pela comercialização de insumos e produtos, e não pela competição com as empresas agrícolas capitalistas.

Nas fases iniciais da formação do capital industrial na Grã-Bretanha, as técnicas de produção permaneceram praticamente inalteradas. Entretanto, os trabalhadores perderam seu acesso direto aos meios de produção e aos insumos e, assim, a possibilidade de controlar o seu próprio trabalho e o produto final. O processo de expropriação do campesinato, descrito acima, tornou os trabalhadores assalariados "livres" em dois sentidos bastante distintos: livres dos senhores e das obrigações impostas pelo sistema feudal e livres do acesso direto aos meios de produção. Esses trabalhadores "livres" agora precisavam vender regularmente a sua força de trabalho para poder adquirir seus meios de subsistência.

[8] NT: Termo usado para designar fábricas em que há altíssima exploração do trabalho, com longas jornadas e baixos salários, frequentemente violando a legislação trabalhista.

A expropriação é uma das principais fontes históricas da classe trabalhadora industrial britânica. A outra fonte importante é a contratação de artesãos independentes para produzir bens por encomenda e, depois, para processar insumos pertencentes a e entregues por um intermediário capitalista (*putting-out system*). A próxima etapa histórica seria a reunião desses produtores independentes para trabalhar em complexos pertencentes aos capitalistas – as fábricas –, nos quais, de início, empregavam-se as mesmas tecnologias utilizadas fora do ambiente fabril (ver capítulo 3).

O surgimento do sistema fabril não foi apenas um desenvolvimento tecnológico. Ele foi também um processo de reorganização social que completou a transformação dos artesãos independentes e camponeses expropriados em trabalhadores assalariados. Marx chamou tal processo de *subordinação formal* (subsunção formal) do trabalho ao capital. Essa terminologia sublinha o fato de que, embora o trabalhador tenha sido efetivamente submetido ao capital, o processo de trabalho permanece essencialmente inalterado. Nesse caso, a exploração depende primordialmente da extração de mais-valia absoluta: a extensão da jornada para 12, 14, 16 ou mais horas por dia; o emprego de crianças e a brutal exploração de cada membro da família por salários lastimáveis; o desprezo pela segurança no trabalho; e a imposição de condições de vida degradantes à classe trabalhadora. Sujeira, doenças, ameaça da fome, pressões da Igreja e do Estado e falta de alternativas compeliam os trabalhadores "livres" a aceitar "voluntariamente" o contrato de trabalho e comparecer "espontaneamente" ao trabalho, mesmo sob as condições mais pavorosas. Este é o alicerce do mercado de trabalho, uma instituição central no capitalismo.

Apesar de sua origem modesta, o sistema fabril tem profundas implicações para a organização da vida social e individual. Ele cria novas condições de trabalho e altera os processos de produção e reprodução social até torná-los irreconhecíveis. Dentro de cada fábrica, a maquinaria gradualmente impõe sua própria disciplina, à medida que fragmenta o processo de trabalho em tarefas repetitivas uniformes, que são mais facilmente monitoradas pelos agentes do capital: os gerentes, supervisores, contadores, e a hierarquia acima deles, cuja própria performance é avaliada pelo conselho administrativo e, em última instância, no capitalismo desenvolvido, pelos bancos e acionistas da firma.

Através do processo de mecanização, fragmentação do trabalho e controle capitalista, o sistema fabril tende a transformar artesãos independentes e artífices habilidosos em apêndices das máquinas que eles são pagos para operar – os trabalhadores fabris são zeladores de capital fixo alheio. Marx chama isso de *subordinação real* do trabalho ao capital. A cooperação pormenorizada do trabalho dentro da fábrica contrasta agudamente com a divisão mais refinada das tarefas dos trabalhadores, que acompanha a especialização. A subordinação real do trabalho marca o princípio da produção capitalista propriamente dita, baseada na extração de mais-valor relativo. Simultaneamente, fora da fábrica, cidades se tornam centros industriais em rápido crescimento, perturbando a relação com o campo, enquanto a própria vida é revolucionada pela difusão dos métodos capitalistas de produção em toda a economia e ao redor do mundo.

Concorrência e acumulação do capital

A competição capitalista se faz sentir por diversos canais. Na esfera da produção, as pressões competitivas levam à subordinação real do trabalho e à extração de mais-valor relativo através da mecanização. No âmbito institucional, a mecanização está associada com a difusão de sistemas interconectados de propriedade e controle, o que envolve complexas hierarquias entre trabalhadores de "colarinho branco", gerentes, executivos, acionistas, o sistema financeiro e o Estado – todos preocupados em maximizar a eficiência corporativa, independentemente do impacto que isso tenha sobre o bem-estar dos trabalhadores. Por fim, no plano das trocas, as firmas estão imersas na competição em diversos mercados simultaneamente, incluindo os de meios de produção, força de trabalho e bens finais. Em todos os níveis, os capitalistas parecem se encontrar à mercê de "forças de mercado" anônimas. Elas advêm do imperativo do capital em geral para acumular, o qual determina o comportamento de cada capital individual.

A fim de distinguir entre esses canais de concorrência e explicar suas consequências, Marx identifica dois tipos distintos de competição no capitalismo: a competição intrassetorial (entre capitais no mesmo setor, isto é, capitais que produzem valores de uso idênticos) e a competição intersetorial (entre capitais que operam em setores diferentes, isto é, produzem valores de uso distintos).

A competição intrassetorial é examinada no livro 1 d'*O Capital.* Esse tipo de competição explica a tendência à *diferenciação* das taxas de lucro de capitais que produzem bens idênticos com tecnologias distintas, bem como as fontes das mudanças técnicas e a origem das crises de desproporção e sobreprodução (ver capítulo 7). Quando elas competem com outros capitais que produzem mercadorias idênticas, as firmas só podem defender suas fatias de mercado e sua lucratividade e evitar a falência se tentarem ser mais eficientes do que seus rivais imediatos, ou seja, se reduzirem seus custos unitários de produção. Isso exige disciplina severa e controle detalhado sobre o processo de trabalho, mecanização e contínua introdução de melhores máquinas e tecnologias e processos de trabalho mais produtivos, além de economias de escala (a minimização do custo pela produção em larga-escala, que reduz os custos fixos médios). Essas reviravoltas permanentes são impostas pelos imperativos sistêmicos, e não pela maldade ou inquietação dos capitalistas individuais. Essas forças criam uma situação de acumulação competitiva à qual todos eles estão sujeitos. Participar é uma condição de sobrevivência. Os competidores buscam, assim, inovar e adotar todo aperfeiçoamento tecnológico disponível, erodindo a vantagem das firmas inovadoras na mesma medida em que disseminam os incentivos para progressos técnicos ulteriores em toda a economia.

A participação nessa batalha aumenta a eficiência econômica e barateia as mercadorias produzidas em cada firma, fazenda, loja ou escritório, incluindo as mercadorias consumidas pelos trabalhadores (mais-valor relativo). Isso também tende a fortalecer os grandes capitais, que são normalmente mais capazes de investir somas maiores por períodos mais longos, selecionar dentre um espectro mais amplo de técnicas de produção e contratar os melhores trabalhadores. Dessa maneira, os grandes capitais reforçam suas vantagens iniciais e tendem a destruir seus competidores mais fracos. Importantes contratendências a esses processos incluem a difusão das inovações técnicas entre as firmas concorrentes, a competição estrangeira e a capacidade dos capitais menores de solapar as tecnologias existentes através da invenção e da experimentação.

O segundo tipo de concorrência identificado por Marx é a intersetorial, isto é, entre capitais que produzem valores de uso diferentes. Esse tipo de concorrência é examinado no livro 3 d'*O Capital*. Ao invés de impulsionar a transformação das tecnologias de produção e das formas de trabalho, conforme foi explicado acima, a maximização do lucro pode levar, ao contrário, à migração de capital para outros setores (presumivelmente mais lucrativos). Esses movimentos, em resposta a deslocamentos da demanda, ao desenvolvimento de novos produtos ou oportunidades de lucro em outros setores, ou devidos simplesmente ao reposicionamento de ativos no mercado de capitais, alteram a distribuição do capital e do trabalho e o potencial produtivo da economia. Há uma tendência a aumentar a oferta nos setores mais lucrativos, o que tende a reduzir seus lucros extraordinários. Uma consequência imediata da competição intersetorial é, portanto, a tendência à *equalização* das taxas de lucro e dos salários, que se impõe na medida em que os agentes econômicos buscam obter o maior valor de troca possível por suas mercadorias no mercado. Esse tipo de concorrência também transforma a expressão dos valores como preços, à medida que estes se tornam preços de produção (ver capítulo 10).

Marx argumenta que as forças conflitantes da concorrência, dentro de cada setor e entre diferentes setores, operam em diferentes níveis. A competição intrassetorial se encontra em um plano mais abstrato e relativamente mais importante do que a intersetorial. Isso se dá porque, primeiro, o lucro precisa ser produzido antes que possa ser distribuído e tendencialmente equalizado. Segundo, embora a migração de capital entre setores possa aumentar a taxa de lucro de capitais individuais, o progresso técnico pode aumentar a lucratividade do capital como um todo. Em razão desses diferentes níveis de complexidade, as forças conflitantes desencadeadas pelos diferentes tipos de concorrência não podem, na análise de Marx sobre a dinâmica contraditória da acumulação do capital, ser simplesmente justapostas uma à outra. Pela mesma razão, não se deve presumir que a soma das consequências das diferentes formas de concorrência possa produzir resultados estáticos – como se, por exemplo, movimentos contínuos de capital pudessem levar à equalização das taxas de lucro e ao equilíbrio estável de longo prazo, conforme defende a economia ortodoxa, ou como se eles pudessem levar à concentração irreversível do capital, como foi sugerido pelas análises do monopólio levadas a cabo por autores social-democratas alemães no início do século XX.

Mesmo que tal estado pudesse ser atingido, ele seria imediatamente perturbado pela inevitável busca de vantagens competitivas. A concorrência nunca é um processo harmonioso; ela frequentemente gera instabilidade e crises econômicas. Para Marx, a análise da concorrência oferece a base para a compreensão de estruturas e processos mais complexos, cuja influência se exerce em diferentes níveis e em mercados distintos. A acumulação de capital é o resultado da interação entre esses dois tipos de concorrência – os quais, cabe notar, são ambos subsidiados pelo sistema financeiro.

A capacidade de um capitalista de competir é claramente limitada pelo seu potencial para acumular. As fontes de acumulação são duas. Por um lado, os lucros podem ser reinvestidos, agregando capital ao longo do tempo. Marx chamou esse processo de *concentração do capital*. Por outro lado, um capitalista pode tomar empréstimos e fundir seu capital aos de outros, agregando recursos já existentes. Marx denominou esse último processo de *centralização* do capital. A concentração é um processo lento e diluído pelas heranças. Por sua vez, a centralização, apoiada pelo crédito e o mercado de capitais, realiza num piscar de olhos o que a concentração levaria muitos anos para alcançar.

À medida que o capitalista individual acumula, o que é verdade para cada um torna-se verdade para o capital como um todo. Isso se reflete na acumulação social do capital, na sua reprodução e nas suas relações de produção – que assumem uma escala ampliada –, no aumento do proletariado e no desenvolvimento das forças produtivas. Mas a solução do capitalista individual para a concorrência não pode ser reproduzida em escala social: a acumulação também é realizada por competidores, de forma que a própria concorrência é reproduzida tanto dentro de cada setor quanto entre os setores. A concorrência causa a acumulação; a acumulação cria concorrência. Aqueles que ficam para trás no processo de acumulação são destruídos. Primeiro, os artesãos independentes e outros modos de produção foram varridos do cenário pelo avanço da produtividade, a produção em massa e a expansão dos mercados. Mais tarde, o capital se voltou contra si mesmo: o grande capital destruiu o pequeno capital conforme a centralização, o crédito e a concentração reuniram mais e mais capital em menos mãos. Ao mesmo tempo, pequenos capitais continuam a emergir, frequentemente introduzindo novas tecnologias capazes de transformar o mercado e, potencialmente, superar capitais mais antigos e maiores. Em suma, o capital enquanto valor que se auto-expande existe em unidades rivais e separadas, e esse modo de existência desencadeia a concorrência – uma forma de guerra onde se combate por meio da acumulação. A necessidade de acumular é sentida por cada capitalista individual como uma força coercitiva externa. Acumular ou morrer: há poucas exceções.

Questões e leituras adicionais

O estudo de Marx sobre a acumulação primitiva na Inglaterra pode ser encontrado em Marx (1976, parte 8). Excelentes estudos marxistas sobre a origem histórica do capitalismo em diferentes regiões podem ser encontrados em Jairus Banaji (2010), Robert Brenner (1986, 2007), Terry Byres (1996), Neil Davidson (2010), Vladimir I. Lenin (1972), Michael Perelman (2003) e Ellen Meiksins Wood (1991, 2002). Há, também, importantes contribuições em Chris Wickham (2007). A explicação sobre a origem do capitalismo a partir do feudalismo tem sido objeto de intensas controversas, tanto no interior do marxismo quanto nas críticas dirigidas a ele. O debate entre Dobb e Sweezy opôs a importância relativa dos desenvolvimentos dentro da produção feudal e suas relações de classe (como defendido por Dobb) ao papel externo e desintegrador do comércio (Sweezy), enfatizando o caráter do campo e da cidade, bem como dos produtores e mercadores, respectivamente. Os principais textos desse debate estão em Rodney Hilton (1976). Essa controvérsia foi levada adiante pelo chamado 'debate Brenner'; ver Trevor Ashton e Charles Philpin (1985). Ver também Stephen Marglin (1974) para uma discussão sobre a transição para o capitalismo, centrada na questão de como a produção é organizada e controlada, ao invés do enfoque tradicional nos processos técnicos.

Marx explica sua teoria da reprodução e acumulação capitalista em Marx (1976, parte 7). A análise da concorrência e da acumulação desenvolvida neste capítulo se baseia em Ben Fine (1980, caps.2, 6) e Alfredo Saad Filho (2002, cap.5); ver também Michael Burawoy (1979), Paresh Chattopadhyay (1994, cap.2), Diego Guerrero (2003), David Harvey (1999, caps 4–7) e John Weeks (1985–6, 2010, cap.6).

Capítulo VII

CAPITALISMO E CRISE

O capitalismo se expande porque desencadeia forças econômicas que compelem todos os capitalistas e, até certo ponto, os trabalhadores, a se comportarem de maneira funcional à acumulação do capital como um todo. Apesar desse grau de coerência interna, o capitalismo também é profunda e irremediavelmente falho, tanto porque tolhe sistematicamente o potencial humano, quanto porque a subordinação das necessidades humanas à motivação do lucro provoca crises e contradições que limitam a reprodução do próprio capital. Essas tensões e limites são discutidos abaixo e revisitadas no capítulo 15. A crise mundial que começou em 2007 é examinada no capítulo 14.

A teoria da acumulação e da crise de Marx

A teoria de Marx da necessidade, ao invés da mera possibilidade de crises regulares nas economias capitalistas, se apoia na interação entre concorrência, conflitos de classe e leis da acumulação. Estes elementos se reúnem na análise da lei da queda tendencial da taxa de lucro (LQTTL). A LQTTL será discutida no capítulo 9. Por ora, basta observar que as crises podem ocorrer de maneira independente dos movimentos imediatos da taxa de lucro; elas podem se dar em razão de fatores externos ao circuito do capital – por exemplo, agitações sociais, crises políticas ou mudanças técnicas. A possibilidade de erosão da taxa de lucro em função da incapacidade dos capitais de se reestruturarem de maneira a elevar lucratividade e a fragilidade do mercado de ações diante de "más notícias" são bem conhecidas. Outras causas potenciais de crises incluem o colapso de preços promovido pela sobreprodução em setores importantes, a falência de grandes instituições financeiras e a instabilidade gerada pelo comércio exterior ou por distúrbios políticos domésticos ou internacionais.

Marx argumenta que as crises sempre podem surgir por causa da contradição entre a produção de valores de uso voltada para o lucro e o consumo privado desses valores de uso. É apenas no capitalismo, onde predomina a produção para o lucro ao invés do uso, que a sobreprodução de uma mercadoria pode se revelar um empecilho. Em outras sociedades, isso seria motivo de celebração, pois implicaria um aumento do consumo. Mas, para o capital, o consumo não é suficiente; a acumulação contínua requer a *realização do lucro* – o que, por sua vez, depende das vendas. Se elas se tornarem impossíveis, a produção pode ser interrompida, e o capital como um todo pode ser forçado a operar em uma escala menor, com sérias implicações para os empregos e o bem-estar social.

Por exemplo, um grupo de capitalistas que produz uma mercadoria particular pode ser submetido a alguma perturbação gerada na esfera econômica ou em qualquer outro lugar. Contudo, a reprodução expandida de seus próprios capitais está imediatamente integrada a outros circuitos do capital; seus insumos são as vendas de outros capitalistas, e vice-versa. A economia pode ser vista como um sistema de circuitos articulados em expansão, como engrenagens interconectadas. Se algumas rodas desaceleram ou se imobilizam, outras rodas no sistema também irão parar. Por exemplo, para que a indústria de vestuário possa se expandir, é necessário um aumento correspondente da produção de têxteis, o que exige uma maior produção de linho e algodão, mais maquinaria, mais trabalhadores, e mais recursos, todos em proporções determinadas. É esse entrelaçamento necessário, competitivo e não planejado de capitais que leva Marx a falar da anarquia da produção capitalista. Nesse aspecto, Marx antecipa alguns dos melhores *insights* de

Keynes, notadamente através dos seus esquemas de reprodução. Em muitos aspectos, porém, a análise de Marx, vai mais longe e é mais profunda, na medida em que estende a análise do nível da demanda (efetiva) até suas fontes na produção e na acumulação de mais-valor e mostra que as crises correspondem a mudanças forçadas no ritmo e na estrutura interna da acumulação. Marx vê as crises como *necessárias*, no sentido de que elas resolvem pela força algumas contradições internas da acumulação que, de outra maneira, iriam persistir. As crises também são *inevitáveis*, como veremos abaixo.

As possibilidades da crise

Em geral, as teorias das crises pressupõem o colapso de circuitos individuais do capital, juntamente com uma análise das consequências sociais das decisões privadas de produção e compra. Um circuito do capital pode se romper em qualquer de seus elos (ver capítulo 5, figura 5.1). A ruptura pode ser tanto voluntária quanto involuntária: o capitalista pode ter capacidade, mas não vontade de permitir a continuidade do circuito, ou vontade, mas não a capacidade de fazê-lo. No primeiro caso, o capitalista estará especulando, seja porque acredita que um eventual atraso do circuito possa aumentar a lucratividade, seja porque espera que, ao retardar o circuito, ele conseguirá criar ou explorar uma posição de monopólio; alternativamente, o capitalista pode estar pessimista acerca da possibilidade de realização do mais-valor produzido. No segundo caso, o capitalista está submetido a forças que estão além de seu controle imediato.

É improvável que uma ruptura do circuito ocorra na esfera da produção, a menos que os trabalhadores entrem em greve ou que haja grandes perturbações naturais ou técnicas (incluindo rápidas mudanças tecnológicas em circunstâncias financeiras desfavoráveis). Ao contrário, quase todas as crises parecem se originar na esfera da circulação, como uma incapacidade ou uma falta de vontade de comprar, vender ou investir. Considere o momento $D - M < {}^{MP}_{FT}$ do circuito industrial do capital (capítulo 4). Uma ruptura voluntária implica que M esteja disponível para a venda, mas o proprietário de D talvez preveja uma queda dos preços dos insumos ou se acredite capaz de impor tal queda. No que se refere à força de trabalho (FT), isso pode ocorrer devido a uma redução (ou ameaça de redução) do nível de empregos, a qual pode ser parte de uma estratégia que vise a elevação a taxa de mais-valor.

A ruptura do circuito também pode ser involuntária. Os proprietários dos insumos podem tentar criar ou explorar uma posição de monopólio – os trabalhadores, em particular, podem entrar em greve, como mencionado acima. Alternativamente, os insumos podem não estar disponíveis porque, na rodada anterior da produção, os produtos – que, em parte, consistem em novos insumos – podem ter sido produzidos em proporções incorretas. Isso criará excesso de demanda de mercadorias específicas e, normalmente, excesso de oferta em outros setores. Se esse excesso se generaliza por muitos produtores e setores, tem-se a chamada crise de desproporcionalidade. Essas observações precisam ser alteradas, todavia, caso a mercadoria escassa seja a força de trabalho. Neste caso, haverá não apenas excesso de demanda de trabalho, mas também um excesso de oferta de capital monetário.

Uma ruptura na esfera da circulação também pode ocorrer entre *M'* e *D'*. Um capitalista pode especular sobre o preço futuro do capital na forma mercadoria, criando uma ruptura voluntária. Ou simplesmente pode ser impossível vender o produto, o que significa que a economia padece de excesso de oferta. Tal excesso pode se dar por causa de desproporcionalidades, ou porque aqueles que normalmente compram a mercadoria não conseguem fazê-lo, pois estão sem dinheiro em mãos, sem acesso a crédito, ou sem condições de realizar lucros. Por exemplo, caso outros circuitos se rompam por qualquer razão, os trabalhadores, os capitalistas ou outros deixarão de receber seus fluxos regulares de renda e, consequentemente, não poderão realizar seus gastos habituais. Se esse problema se generalizar, ter-se-á uma crise de sobreprodução (ou, de outro ponto de vista, de subconsumo). Marx colocou essa questão de forma clara quando sugeriu que, embora as mercadorias sejam apaixonadas pelo dinheiro, o percurso de um amor verdadeiro nunca é suave.

Tradicionalmente, os marxistas examinaram as crises de sobreprodução/subconsumo e desproporcionalidade a partir da divisão da economia em dois setores, investimento e consumo. Seguem, nesse sentido, o esquema de Marx para a reprodução ampliada (ver capítulo 5). Alguns argumentaram que a oferta de bens de consumo tende continuamente a ultrapassar sua demanda; outros sustentam que há uma tendência à produção desproporcionalmente elevada de bens de investimento. De um ponto de vista lógico, ambas as proposições são plausíveis, mas as desproporções (sobreprodução em um setor; subprodução em outro) são passíveis de acontecer tanto dentro dos setores que produzem bens de consumo e de investimento quanto entre os dois setores considerados de maneira agregada. Além disso, é fácil confundir uma crise de desproporcionalidade na qual há excesso de oferta de bens de consumo com uma crise de sobreprodução – a qual se caracteriza por um excesso generalizado de oferta de mercadorias precedido por um excesso de capacidade produtiva. Uma crise de desproporcionalidade não pressupõe esse excesso generalizado de oferta, mas apenas excessos invendáveis localizados em setores influentes, os quais podem, eventualmente, desencadear uma crise mais generalizada.

Rupturas em circuitos particulares do capital ocorrerão com frequência, dadas a anarquia da produção capitalista, as flutuações dos preços de mercado, as perturbações no comércio internacional, os caprichos do sistema de crédito, a especulação financeira e de outros tipos, a monopolização e a obsolescência do capital fixo que resultam do progresso tecnológico, e assim por diante. Ocasionalmente, esses eventos serão suficientemente importantes para gerar uma crise, cuja extensão dependerá dos padrões de ruptura e, subsequentemente, dos ajustes na reprodução econômica. Essa descrição das possibilidades de crise, todavia, é limitada, pois mantém implícito o motivo da produção capitalista: o lucro. Para o capitalista, a influência determinante na produção é a quantidade de lucro gerada pelo circuito do capital. Qualquer obstáculo pode ser superado se o mais-valor (*m*) for grande o suficiente. Se a lucratividade aumentar, os capitalistas ficarão relutantes em suspender as vendas para especular sobre lucros maiores no futuro, negar aumentos salariais ou obstruir de qualquer outra forma o processo de geração de lucro. Por essa razão, o próprio sistema financeiro muitas vezes prolonga um *boom* especulativo mesmo quando a lucratividade já começou a declinar – exceto, talvez, no papel (ver o capítulo 14). Por fim, caso a capacidade de capturar lucros seja restringida, não apenas alguns capitalistas serão expulsos da produção pela falência, mas o pessimismo geral tenderá a imperar, a produção será reduzida e a perspectiva de uma crise sistêmica surgirá no horizonte.

Movimentos na lucratividade dependem não só das condições de venda, mas também de alterações nos valores. Como visto no capítulo 3, o processo de acumulação concorrencial promove frequentes reduções nos valores de todas as mercadorias. Embora o trabalho seja a única fonte de mais-valor e, portanto, de lucro, os capitalistas tentam elevar seus lucros promovendo a redução de valores por meio da expulsão relativa do trabalho vivo da produção, constituindo uma característica contraditória do capitalismo. Marx analisa tal contradição no contexto da LQTTL (ver capítulo 9).

As teorias da crise focadas na sobreprodução, no subconsumo, na desproporcionalidade e na queda da taxa de lucro deram origem a uma extensa literatura; contudo, tomadas de maneira isolada, essas abordagens são limitadas. Ao invés de serem apresentadas como teorias alternativas das crises, elas podem ser analisadas de forma mais apropriada como componentes da análise de Marx da fragilidade sistêmica e das crises econômicas no capitalismo.

A concorrência intrassetorial (ver capítulo 6) cria uma tendência ao desenvolvimento desigual (desproporcional) entre os setores, e também uma tendência à sobreprodução dentro de cada setor. Em certas circunstâncias, possivelmente associadas a um declínio na taxa de lucro, esses processos podem desencadear uma crise geral. Contudo, mais importante que essas associações é a causa fundamental das crises. Para Marx, as crises capitalistas se devem, em última instância, à contradição entre a tendência capitalista a desenvolver as forças produtivas (e aumentar o mais-valor que precisa ser realizado) de maneira ilimitada e a capacidade social limitada de consumir o produto. A manutenção da estabilidade econômica nessas circunstâncias requer que uma parte crescente do produto seja comprada pelos capitalistas para fins de investimento ou consumo de luxo, o que nem sempre é possível. O capitalismo, portanto, sempre tende a ser instável e suscetível a crises. As crises eclodem quando a produção se desenvolve além das possibilidades de realização dos lucros. Isso pode ocorrer por várias razões, e o que importa para a explicação de cada crise é como a sua causa subjacente – a subordinação da produção de valores de uso à produção de mais-valor – se manifesta através das desproporcionalidades, da sobreprodução, do subconsumo ou da queda na taxa de lucro.

Acumulação, crise e o desenvolvimento do proletariado

No cenário mais simples possível, suponha que, à medida que o capital se acumule, a proporção entre capital constante e variável adiantado (*c* / *v*) permaneça inalterada. Com isso, o volume de emprego deve aumentar. Não seria realista esperar que a oferta de trabalho possa aumentar indefinidamente sem crescimento da taxa de salários. Contudo, se os salários aumentarem mais rapidamente do que a produtividade do trabalho no setor de bens de consumo, a lucratividade será comprimida e, consequentemente, a taxa de acumulação se reduzirá (no limite, não haverá acumulação de capital quando os salários crescerem a ponto de ameaçar a produção de mais-valor). À medida que a taxa de acumulação decline, porém, o mesmo ocorrerá com a demanda por trabalho, o que aumentará o desemprego e diminuirá o poder dos trabalhadores, reduzindo a pressão pela elevação dos salários. Dessa maneira, a lucratividade é restaurada e, com ela, a acumulação; e o ciclo se repete (esse argumento precisa ser alterado se a proporção *c* / *v* mudar; ver capítulo 8).

É assim que Marx descreveu os ciclos econômicos decenais do início do século dezenove. Ele também os vinculou à renovação sincronizada de capital fixo e à volatilidade do crédito comercial. Em contraste com os economistas políticos clássicos, Marx explicou as flutuações no emprego, nos salários e na lucratividade pelas flutuações na taxa de acumulação, e não o contrário. Marx considerava absurda a doutrina malthusiana segundo a qual a alternância entre o estímulo ao crescimento do proletariado através da reprodução sexual e a devastação demográfica dever-se-ia à variação dos salários em torno de um nível fisiológico de subsistência. Isso dificilmente poderia explicar os ciclos econômicos regulares. Marx também criticou pesadamente o fascínio dos economistas clássicos pela ideia de rendimentos decrescentes na agricultura (ver capítulo 13). Em contraste, ele destacou a força motriz da produtividade crescente da indústria manufatureira no capitalismo.

Descrita dessa forma agregada, a atividade econômica parece flutuar suavemente conforme as mudanças na taxa de acumulação. Nada poderia ser mais equivocado. Esse quadro geral pode encobrir enormes variações entre setores e regiões geográficas na economia. Além disso, já foi demonstrado acima que o capital tende a aumentar continuamente a produtividade e, ao fazê-lo, a expulsar da produção o trabalho vivo.

Marx argumenta que, sob o capitalismo, as mudanças técnicas economizam trabalho vivo não apenas em termos absolutos, mas também em termos relativos – isto é, em proporção aos outros meios de produção. Tal processo se dá, sobretudo, em função das economias de escala advindas das fábricas e do uso de maquinaria nova. Nesse sentido, a quantidade de maquinaria por trabalhador tende a crescer com o tempo, aumentando a composição técnica do capital (ver capítulo 8) e acelerando o processo de produção. À medida que se reduz o tempo de que cada trabalhador necessita para processar uma certa massa de matérias-primas, cai a quantidade de trabalho socialmente necessário para produzir cada mercadoria.

A expulsão de trabalho vivo da produção pode ser acompanhada de uma expansão do volume total de emprego, devido ao aumento da produção agregada. Mas a acumulação competitiva caminha de maneira descoordenada. Nos diferentes setores e regiões, a produção e o emprego não crescem de forma equilibrada. Mudanças tecnológicas promovem ora a escassez, ora o excesso de trabalho e meios de produção. Contudo, a expulsão de trabalho vivo de *todos* os processos produtivos tende a produzir desemprego crescente (amenizado, como visto, pela expansão econômica e a abertura de novos setores e canais de acumulação). Marx chamou esse fenômeno de *exército industrial de reserva* ou *população excedente*. Note-se que o excedente é criado e mantido ao longo do tempo pela acumulação de capital, e não – como sugerira Malthus – pela reprodução biológica dos trabalhadores. Esse excedente inclui uma camada de desempregados permanentes, condenados à pobreza pela combinação do ritmo e das características da acumulação com aqueles atributos pessoais que, da perspectiva da relação capitalista de emprego, aparecem como deficiências, sejam eles a idade, a saúde, a formação, a experiências anteriores (ou falta delas) ou qualquer outra coisa. Quanto maior o exército de reserva em relação ao volume de emprego, maior a concorrência por trabalho e menores os salários. Analogamente, quanto maior o exército de reserva e sua camada de desempregados permanentes, maior a extensão da pobreza e da miséria. Marx denominou essa característica do capitalismo a *lei geral da acumulação capitalista*.

Até agora, analisamos as demandas que a acumulação de capital impõe ao proletariado, gerando constantes distúrbios na vida individual e social. Mudanças específicas podem ser impostas por coerção política, econômica, ideológica e jurídica, ou induzidas pelo mercado através de mudanças nos salários e nos requisitos formais de emprego. Tanto o método adotado quanto o resultado dependem da organização e do poder de ambas as classes. Além disso, a força da classe capitalista aumenta à medida que a centralização do capital acompanha o processo de acumulação, e também em função do crescimento da força, organização e poder coercitivo do Estado. Marx argumenta que, ao mesmo tempo que o capital é centralizado, massas de trabalhadores são concentradas na produção. Tal organização econômica tende a encorajar a organização política, a conscientização e a luta por mudanças econômicas e sociais. Conforme a acumulação progride, a força, a organização e a disciplina do proletariado tendem a crescer em conjunto como desenvolvimento de suas condições materiais.

O capitalismo cumpre o papel construtivo de desenvolver o potencial produtivo da sociedade, transformar os princípios da eficiência econômica em valores universais e criar as condições materiais para o comunismo. Ao mesmo tempo, o capitalismo é o modo de produção mais *destrutivo* da história. As economias capitalistas são cronicamente instáveis devido às forças conflitantes da extração, realização e acumulação de mais-valor em condições competitivas. Essa instabilidade é estrutural e mesmo as melhores políticas econômicas não podem evitá-la completamente.

Como vimos no capítulo 6, a concorrência força todos os capitais a encontrar formas de aumentar a produtividade do trabalho. Isso geralmente promove mudanças técnicas que aumentam o grau de mecanização, a escala potencial de produção e a integração dos processos de trabalho dentro de cada firma e entre elas. Mas esses processos são sempre desiguais e geram desperdícios enormes. Eles estão associados a grandes investimentos em capital fixo, especulação, deslocamentos no mercado de trabalho, destruição de qualificações e capacidades, desemprego estrutural, falências, crises e à inabilidade de atender às necessidades básicas de todos, apesar da disponibilidade dos meios materiais para tanto.

A acumulação também estimula o desenvolvimento do agente da destruição do capital, os trabalhadores organizados, e fornece a razão para essa destruição: a socialização da produção a ser obtida através de um planejamento coordenado e radicalmente democrático, capaz de aproveitar o potencial produtivo da sociedade. O proletariado cumprirá seu papel histórico, a expropriação da classe dos capitalistas, quando ele superar as instituições que impõem a disciplina capitalista na produção e na sociedade como um todo e criar alternativas que permitam a abolição da exploração econômica.

Isso não ocorre necessariamente durante uma crise econômica. Pois, enquanto as crises estão associadas à redução dos lucros, ao aumento do desemprego e a pressões para a redução dos salários, a recessão também é um período em que a classe trabalhadora tende a se enfraquecer. Além disso, nem as mudanças dentro de um modo de produção e muito menos a transição de um modo de produção para outro podem ser inferidas diretamente das condições econômicas, porque dependem também das condições políticas e ideológicas. Estas, juntamente com a posição econômica do movimento dos trabalhadores, tendem a se fortalecer em situações de prosperidade econômica. Assim, a relação entre análise econômica e revolução não apenas é complexa, mas também depende de outras influências (ver capítulo 15).

Questões e leituras adicionais

A literatura sobre as teorias da crise é extensa, diversa e envolve duros debates. Uma controvérsia importante opõe aqueles que aderem à teoria da queda da taxa de lucro (e há diferenças entre eles sobre como e por que a taxa de lucro cai) aos que a ela não aderem. Outros debates relevantes refletem discussões relativas à produção, à distribuição, ao comércio, às finanças e ao balanço de poder entre capital e trabalho, e dentro da própria classe capitalista. Cada vez mais, o papel (econômico) do Estado tem sido visto como fonte de, ou resposta a, crises, embora, em deferência à "globalização", essa abordagem tenha perdido proeminência. Isso, todavia, pode mudar mais uma vez na esteira da crise atual.

O próprio Marx nunca discutiu sua teoria da crise de maneira sistemática; ver, de todo modo, Marx (1969, cap. 17, 1972, cap. 20). A análise desenvolvida neste capítulo foi baseada em Ben Fine e Laurence Harris (1979, cap. 5). Para um panorama da teoria da crise de Marx, ver Simon Clarke (1994, 2012), Duncan Foley (1986, cap.9), David Harvey (1999, cap. 13), Michael Heinrich (2013), Michael Howard e John King (1990), Michael Perelman (1987), Anwar Shaikh (1978), John Weeks (2010, cap. 5, 8) e o volume 18 de *Research in Political Economy* (2000). As teorias do subconsumo são revisadas criticamente por Michael Bleaney (1976) e John Weeks (1982). Um renascimento do debate sobre as crises foi provocado por Robert Brenner (1998, 2002). Para uma amostra da literatura que se seguiu, ver *Historical Materialism* (vols 4–5, 1999) e Ben Fine, Costas Lapavitsas e Dimitris Milonakis (1999). Ver, também, para a renovação recente do debate, as referências indicadas no capítulo 14.

Capítulo VIII

AS COMPOSIÇÕES DO CAPITAL

Este capítulo explica os conceitos marxianos de composição técnica, orgânica e de valor do capital, como um prelúdio ao estudo da lei da queda tendencial da taxa de lucro (LQTTL) e do problema da transformação (capítulos 9 e 10, respectivamente). Esse prelúdio é importante por duas razões. Em primeiro lugar, embora essenciais para a compreensão da relação entre valores e preços, das mudanças técnicas, das crises econômicas e de outras estruturas e processos na economia capitalista, as composições do capital foram geralmente analisadas de maneira apressada e entendidas apenas superficialmente (e amiúde incorretamente) na literatura. Em segundo lugar, a LQTTL é tradicionalmente vista como algo cuja relação com o problema da transformação é apenas fugaz. Isso é incorreto, pois ambos se relacionam intimamente através das composições do capital.

A composição técnica do capital

No livro I d'*O Capital*, Marx examina os métodos da produção capitalista, isto é, a maneira sistemática pela qual o capitalismo transforma o processo de trabalho através do sistema fabril e se apropria das outras condições de produção – por exemplo, os recursos naturais (ver os capítulos 6 e 15). No mesmo volume, Marx também estabelece a tendência ao aumento sistemático da produtividade do trabalho sob o capitalismo, que é capturada pelo conceito de composição técnica do capital (CTC).

A CTC é a *proporção física* entre os insumos materiais consumidos e o trabalho vivo socialmente necessário para transformar esses insumos no produto final. Embora Marx mostre que a CTC tende a aumentar com o tempo (o que exprime a crescente produtividade do trabalho no capitalismo), as tentativas de mensurar a CTC e suas mudanças, ou de contrastar as CTCs em diferentes setores (agricultura e geração de eletricidade, por exemplo) enfrentam dificuldades imediatas. Em particular, a CTC não pode ser medida diretamente, já que ela é a proporção entre um conjunto heterogêneo de valores de uso (os insumos materiais) e as quantidades médias de trabalho despendidas em cada firma ou setor. Em outras palavras, a CTC pode ser medida por um único indicador somente na medida em que uma massa de matérias-primas heterogêneas e o trabalho vivo sejam reduzidos a um denominador comum.

Para a teoria econômica ortodoxa, a mensuração da CTC reflete a dificuldade de se construir números-índices. Em contraste, na teoria de Marx, os valores das mercadorias formam a base na qual a CTC pode ser medida. Não se trata simplesmente da escolha de um indicador ao invés de outro. Essa determinação reflete a proposição de Marx de que o valor é uma categoria legítima de análise para a sociedade capitalista. Nesta sociedade, como foi mostrado no capítulo 2, trabalhos distintos são regular e necessariamente colocados em equivalência uns aos outros na produção e na troca, estabelecendo a dominância das relações de valor no capitalismo. Medidas de valor da CTC são legítimas (ao invés de simplesmente 'convenientes', apesar das desvantagens associadas a qualquer número-índice) porque exprimem a realidade subjacente à produção, bem como as mudanças sistemáticas nas condições de produção sob o capitalismo, em termos das relações sociais e de valor nas quais elas estão corporificadas.

A composição orgânica e a composição de valor

Além da composição técnica, Marx também diferencia entre a composição orgânica do capital (COC) e a composição de valor do capital (CVC). A COC e a CVC raramente são diferenciadas na literatura subsequente e, amiúde, esses conceitos são usados indistintamente. Para ambas as composições, a definição algébrica é geralmente denotada por c / v (capital constante dividido por capital variável). Contudo, essa fórmula sugere a seguinte questão: que valores são usados para reduzir um conjunto heterogêneo de matérias-primas (no caso de c) e de trabalho vivo (no caso de v) a valores específicos? Tal problema é pertinente, pois o uso da composição do capital em Marx diz respeito à acumulação e, portanto, à redução sistemática dos valores das mercadorias por meio de mudanças técnicas (ver capítulo 3).

Antes de lidar com esse problema no contexto dinâmico da acumulação, é útil, para fins didáticos, diferenciar a CVC da COC em um contexto estático. Considere, por exemplo, a produção de joias. Suponha que exatamente o mesmo processo de trabalho e as mesmas máquinas e tecnologia sejam usadas para produzir tanto anéis de prata quanto de ouro. Neste caso, ambos os processos de produção terão a mesma CTC, a qual, como vimos, mede a quantidade de matérias-primas em relação ao trabalho vivo. Mas a produção de anéis de ouro envolverá uma maior CVC, uma vez que ela faz uso de matérias-primas cujos valores são mais altos (ouro em relação à prata). Para exprimir a inexistência de diferenças entre os processos produtivos no que se refere às técnicas empregadas, Marx define a COC como *igual* para os dois processos. Resulta, portanto, que a COC mede a CTC em termos de valor, mas *deixando de lado* as diferenças criadas pelo maior ou menor valor das matérias-primas empregadas.

Isso cria dificuldades na mensuração da COC, uma vez que os valores apropriados para definir a proporção entre c e v não estão especificados. Devemos, por exemplo, usar o valor do ouro, o valor da prata ou algo intermediário? Esse problema de mensuração é criado pela tentativa de distinguir a COC e a CVC em um contexto estático, no qual a CTC e a CVC já seriam suficientes para capturar as diferenças entre os processos produtivos. Apenas quando os processos produtivos estão se alterando é que o contraste entre a COC e a CVC ajuda a iluminar a equivalência ou não entre mudanças nos processos produtivos do ponto de vista orgânico.

Considere agora um exemplo dinâmico envolvendo a indústria siderúrgica. Suponha que, em razão de aprimoramentos técnicos na produção, o valor do aço se reduza, com tudo o mais constante. Quando cai o valor de um insumo amplamente utilizado, como o aço, a CVC se altera em todos os setores da economia, conforme a importância relativa do aço nos respectivos capitais constantes e no valor da força de trabalho. Em um caso simples, com uma força de trabalho homogênea, as CVCs variarão de acordo com o uso relativo de aço. Apesar dessas mudanças na CVC, a COC nos setores não-siderúrgicos permanece *inalterada*, porque – num primeiro momento – não houve mudanças nas suas CTCs. Em contraste, a COC da indústria siderúrgica se eleva (junto com sua CTC) em razão do aprimoramento técnico original. Esse exemplo mostra que a COC mede *mudanças na produção em termos de valor*, e que a COC pode medir algo distinto da CVC (e, portanto, tornar-se relevante na prática) somente quando a CTC muda.

Os dois exemplos acima servem para explicar a diferença entre a CVC e a COC. Trata-se de coisas diferentes, uma vez que se tome em consideração o impacto de mudanças nas condições de produção dos diferentes setores da economia. A coisa adquire uma nova faceta quando se começa a considerar que as condições de produção se alteram continuamente nos diversos setores da economia. Marx argumenta que, em seu estágio desenvolvido, o capitalismo envolve a acumulação através da produção de mais-valor relativo, com a maquinaria deslocando sistematicamente o trabalho vivo. Isso gera uma tendência ao aumento da CTC na economia como um todo. Nesse caso, a CTC pode ser medida em termos de valor de duas maneiras diferentes.

Por um lado, do ponto de vista das mudanças na produção, a CTC é medida pela COC. As matérias-primas e a força de trabalho entram no processo de produção com valores dados, o que leva a uma proporção definida entre capital constante e capital variável que reflete a extensão em que o trabalho é coagido a transformar insumos em produtos. Considerando a questão do ponto de vista cronológico, podemos dizer que a COC mede a CTC em termos dos valores "antigos", isto é, os valores que prevaleciam antes das mudanças técnicas e da renovação do processo produtivo. Por outro lado, sempre que há progresso técnico em algum setor da economia, há uma mudança (geralmente uma redução) no valor das mercadorias. A CVC é medida após essa etapa, levando em consideração a CTC do ponto de vista da mudança tanto na COC quanto nos valores das mercadorias realizados na troca. Em termos cronológicos, a CVC é medida em termos dos "novos" valores, ao invés dos "antigos". Em suma, a CVC captura as implicações contraditórias do aumento da CTC, *bem como* a queda dos valores das mercadorias que resulta do progresso técnico. Portanto, a CVC tende a aumentar mais lentamente do que a CTC e a COC.

A descrição da diferença entre CVC e COC em termos de valores "novos" e "antigos" é conceitual, não estritamente cronológica: a todo momento, capitais estão entrando e saindo do processo de produção; as mudanças técnicas, por sua vez, são onipresentes. O que a distinção entre a CVC e a COC faz é levar em consideração a separação entre as esferas da produção e da troca (ver capítulo 4), reconstituindo-a num contexto mais complexo. Na produção, as duas classes – capitalistas e trabalhadores – confrontam-se em torno do processo produtivo e, à medida que a acumulação prossegue, há uma tendência de crescimento da CTC. Na troca, os capitalistas se confrontam entre si como concorrentes no processo de compra e venda e, à medida que a acumulação prossegue, há uma tendência à redução dos valores e ao declínio da CVC. No próximo capítulo, veremos que a interação desses processos é o foco principal da LQTTL de Marx. No capítulo 10, a relação entre valores e preços em Marx será explicada através do papel da COC.

Questões e leituras adicionais

Como mencionado, a literatura tem sido bastante descuidada na análise das composições do capital. Em geral, no contexto da LQTTL, a maior parte da atenção foi direcionada, ao menos terminologicamente, para a COC, havendo poucas referências à CTC e CVC. Ironicamente, apesar da predominância terminológica da COC, o que de fato se tinha em mente quando se falava sobre ela era, em geral, a CVC. Isso demonstra a falta de cuidado com as distinções estabelecidas pelo próprio Marx e a má interpretação do seu trabalho e de suas intenções. O resultado foi a confusão entre composição orgânica e composição de valor, as quais são formadas distintamente (na produção e na troca, respectivamente) em um único processo.

Não surpreende o fato de ser escassa a literatura sobre as composições do capital. Marx as explica em Marx (1969, cap. 12; 1972, cap. 23; 1981, cap.8). A interpretação deste capítulo se apoia em Ben Fine (1990) e Ben Fine e Laurence Harris (1979, cap. 4). Essa interpretação é revisada e desenvolvida à luz da literatura existente por Alfredo Saad Filho (1993, 2001, 2002, cap. 6). Para uma crítica de nossa posição, ver Moseley (2015, cap. 11).

Capítulo IX
A QUEDA DA TAXA DE LUCRO

A teoria de Marx da lei da queda tendencial da taxa de lucro (LQTTL) é extremamente controversa. Sua validade, interpretação e relevância foram questionadas em diversas ocasiões. Este capítulo delineia a lei de Marx e responde a algumas das críticas levantadas contra ela. Duas interpretações equivocadas da LQTTL são frequentemente encontradas na literatura. Por um lado, a contribuição de Marx é relegada ao reino da alta filosofia, com a LQTTL assumindo o caráter de uma verdade abstrata, derivada da lógica do capital e, portanto, irrefutável – mas também esvaziada de qualquer significado empírico. Por outro lado, a análise de Marx tem sido tratada como um conjunto de proposições empíricas que podem ser corretas, incorretas ou algo intermediário, dependendo da inclinação do analista e das implicações do modelo da economia adotado na análise.

A posição adotada aqui difere de ambos os extremos delineados acima. Contudo, o argumento é complexo e depende de considerações conceituais, e não algébricas. Por simplicidade, apresentamos primeiramente uma versão resumida da estrutura da análise; na sequência, fazemos um relato mais pormenorizado contendo as elaborações e justificativas necessárias.

O argumento resumido

A LQTTL de Marx se baseia na distinção conceitual entre as composições orgânica e de valor do capital (COC e CVC) – que, como vimos (capítulo 8), são comumente confundidas na literatura, na qual o termo COC é geralmente usado para se referir à CVC. O capítulo 8 mostrou que a COC mede os resultados da acumulação fazendo referência exclusivamente à esfera da *produção*, isto é, à criação de (mais) valor. Já a CVC mede e reflete o processo de acumulação na esfera da *troca*, ou seja, a realização de (mais) valor, que se centra no problema da venda, mas não se confina a ele.

A COC tende a aumentar no tempo em razão da adoção de métodos de produção especificamente capitalistas (em particular, o uso de maquinaria) no contexto da concorrência dentro de cada setor e da tentativa sistemática de extrair mais-valor relativo. Essa tendência ao crescimento da COC é a fonte da LQTTL enquanto tal; a formação da CVC, por outro lado, se associa às contratendências (CTs) à LQTTL. A interação entre a lei e as CTs é um aspecto essencial do processo de acumulação. Ela gera fenômenos econômicos mais complexos, mas apenas na fase de desenvolvimento específica do capitalismo na qual predomina a produção mecanizada. Isso significa que a LQTTL não é uma lei empírica no sentido estritamente preditivo; pelo contrário, ela é uma *lei abstrata*. Ela não fornece indicações prospectivas (quantitativas) sobre os movimentos da taxa de lucro, mas sim a base sobre a qual fenômenos econômicos mais complexos podem ser estudados (ver capítulo 1).

Esta apresentação da LQTTL de Marx contrasta diretamente com a interpretação e a crítica dela desenvolvidas pelo economista japonês Nobuo Okishio e adotadas pela escola econômica sraffiana e por alguns marxistas. Como essa abordagem se limita à chamada estática comparativa (isto é, a comparação de equilíbrios antes e depois de alguma mudança técnica), ela trata o processo de acumulação como algo que necessariamente leva à integração harmoniosa entre a produção e a circulação, negligenciando suas dinâmicas contraditórias. Consequentemente, a análise de Okishio pode ser caracterizada como o oposto dialético da análise de Marx.

A lei enquanto tal e as contratendências

O tratamento de Marx da LQTTL ocupa três capítulos na terceira seção do livro III d'*O Capital*. O primeiro deles é intitulado "A lei enquanto tal" e contém o que parece ser uma simples demonstração algébrica da lucratividade decrescente no capitalismo. Uma vez que a taxa de lucro pode, em termos de valor, ser escrita como $l = m / (c + v) = e / (COC + 1)$, onde e é a taxa de mais-valor (m / v), e a COC é c / v, uma queda em l será a consequência direta de um aumento na COC, desde que não haja aumento em e.

Essa interpretação mecanicista, contudo, é incorreta. A LQTTL não pode prever movimentos empíricos da taxa de lucro por duas razões. Em primeiro lugar, as leis marxianas não são a expressão teórica de regularidades empíricas. Aqui, uma analogia com a lei da gravidade pode ajudar. Essa lei da física se baseia na ideia de que os corpos se atraem mutuamente, como na famosa maçã de Newton caindo sobre a terra. Mas, empiricamente, a lei da gravidade também pode *explicar* resultados que parecem contradizê-la – planetas têm órbitas elípticas estáveis ao redor do sol, aeronaves voam, e prédios se mantêm em pé. De maneira similar, as leis de Marx expressam as forças materiais essenciais que são constituídas pelas relações sociais capitalistas – forças que Marx chama de *tendências*. É por isso que a LQTTL é chamada, de maneira aparentemente estranha, de "lei de tendência". Embora as leis e tendências marxianas emerjam das relações sociais que definem o modo de produção e sejam, portanto, necessárias (em outras palavras, elas são inevitáveis nesse tipo de sociedade), elas não determinam diretamente os resultados empíricos. Por exemplo, a tendência à mecanização e (consequentemente) ao aumento da COC não implica a queda contínua da taxa de lucro; em contrapartida, as flutuações da taxa de lucro não negam a LQTTL. Por razões análogas, a tendência à equalização das taxas de lucro em diferentes setores – que resulta da maximização dos lucros e da mobilidade do capital – não impõe que essas taxas sejam *efetivamente* equalizadas em algum ponto específico no futuro (apenas no mundo de faz-de-conta da economia neoclássica é que essa tendência leva a um equilíbrio supostamente "real", no qual todas as taxas de lucro são equalizadas).

Para Marx, as leis e tendências devem ser situadas analiticamente no contexto de suas fontes e das formas (relativamente mais complexas) nas quais essas leis e tendências se manifestam. Por exemplo, tendências sempre interagem com contratendências no contexto de circunstâncias históricas particulares, levando a resultados que são indeterminados *ex ante*, mas, em princípio, inteligíveis *ex post* (ver capítulo 1). No caso de capitais concorrentes, por exemplo, a tendência à equalização de suas taxas de lucro deve ser contraposta à concorrência entre capitais no mesmo setor, que tende a diferenciar suas taxas de lucro – quer isso se dê pela acumulação voltada ao aumento da produtividade, pelo pagamento de salários mais baixos ou por outra razão qualquer (ver capítulo 6).

A segunda razão pela qual a LQTTL não permite previsões empíricas é que análises ancoradas na composição orgânica (ao invés da composição de valor) do capital, como a que encontramos nessa lei, restringem-se a mudanças na produção, sem qualquer referência ao reflexo das alterações dos valores na esfera da circulação. Isso explica por que o valor constante de e não é uma suposição arbitrária, mas, pelo contrário, uma expressão dos valores inalterados das mercadorias (inclusive a força de trabalho) durante o processo de produção.

O segundo capítulo da terceira seção do livro III, intitulado "Causas contrariantes", lida com as CTs. Estas pertencem a duas categorias. Há aquelas que resultam diretamente de mudanças nos valores ocasionadas pelo aumento da COC. Se escrevemos $l = m / (c + v)$, qualquer coisa que reduza c ou v, e qualquer coisa que aumente m, tende a aumentar l. A produção de mais-valor relativo faz tudo isso, pois o aumento da produtividade reduz o valor de c e v (seja diretamente, no setor de bens de salário, ou indiretamente, em função do uso de matérias-primas com valor reduzido) e aumenta m, através do declínio de v (dado o salário real). Essas mudanças de valor correspondem à formação da CVC, o que ressalta a importância desse conceito e de sua diferença em relação à COC.

Marx considera também um conjunto de CTs de caráter menos sistemático. Por exemplo, ele lista a superexploração da força de trabalho (especialmente daqueles que de outra forma estariam desempregados e dos trabalhadores desorganizados), que produz mais-valor absoluto; o barateamento das matérias-primas e dos bens de salário por meio do comércio exterior; e a formação das sociedades por ações (que podem obter uma taxa de lucro mais segura, apesar de menor, em suas atividades em larga escala). Esse grupo de CTs não decorre da necessidade de acumulação de capital ou do aumento da COC, embora sejam resultados prováveis do desenvolvimento do capitalismo. Marx parece agrupá-los sem grande distinção analítica. Isso pode ser explicado pela falta de preparação do livro III para publicação. Além disso, a lista de CTs de Marx segue de perto a de J. S. Mill, o que sugere que ele ainda não havia finalizado sua análise desse material. Contudo, subsiste uma importante diferença entre os dois: enquanto o tratamento que Mill dá à lei acompanha o de Ricardo e se baseia na *produtividade declinante da agricultura*, a análise de Marx se fundamenta na *produtividade crescente da indústria.*

O tratamento das CTs por Marx também faz parecer que ele lida com movimentos imediatos de *l* como uma espécie de contrapeso numérico à lei enquanto tal. Contudo, as CTs estão necessariamente situadas em um nível mais complexo de análise do que a lei, já que, como visto acima, elas envolvem a formação da CVC, que incorpora mudanças tanto na produção quanto na troca (ao passo que a lei enquanto tal envolve apenas mudanças na produção e a formação da COC). Não obstante, assim como a lei, as CTs não devem ser vistas como fatores de relevância empírica que governam diretamente a taxa de lucro, mas como a materialização dos processos de acumulação e reestruturação do capital que levam as mudanças nas condições de produção a se manifestar em movimentos na troca.

As contradições internas da lei

Na seção anterior, interpretamos tanto a LQTTL quanto as CTs como expressões de relações e processos relativamente abstratos, e não como ferramentas para a produção de previsões de movimentos imediatos da taxa de lucro. Essa é a base para o exame do terceiro capítulo de Marx sobre a LQTTL, apropriadamente denominado "Desdobramento das contradições internas da lei". Nesse capítulo, Marx examina a lei e as CTs como uma unidade contraditória de processos subjacentes que geram fenômenos empíricos mais complexos. Mesmo nesse estágio relativamente concreto da exposição, Marx está mais preocupado com a coexistência antagônica da lei e suas CTs do que com a previsão dos movimentos da taxa de lucro. Isso porque a lei e as CTs não podem ser somadas algebricamente de acordo com suas respectivas forças para aumentar ou reduzir a taxa de lucro – assim como os efeitos da concorrência dentro de cada setor e entre setores não podem ser somados para sugerir que as taxas de lucro irão divergir em direção a uma situação de monopólio ou, de maneira oposta, equalizar-se para todos os capitais no tempo histórico (ver capítulo 6). Em vez disso, Marx está preocupado com as contradições entre a produção e a circulação de (mais) valor, as quais se desenvolvem à medida que o processo de criação de valor prossegue, com base em valores que estão constantemente sendo modificados pela própria acumulação de capital.

O fato de que a LQTTL diz respeito à interação de tendências abstratas e, portanto, não pode antecipar um inevitável declínio das taxas de lucro das firmas ou economias capitalistas é implicitamente confirmado pela análise de Marx das contradições internas da lei. Há pouca ou nenhuma discussão dos movimentos da taxa de lucro na terceira parte do livro III d'*O Capital,* e uma preocupação muito maior com a capacidade da economia de acumular a massa de mais-valor que foi produzida – uma condição necessária à continuidade do processo de expansão da economia. Noutras palavras, Marx está mais preocupado em investigar se o processo de acumulação pode se sustentar do que em indagar se esse processo gera uma taxa de lucro maior ou menor. Por exemplo, quando o progresso técnico reduz os valores dos capitais constante e variável, como ele tende a fazer, estamos diante da tradução, na esfera da troca, de mudanças nas condições de produção – o que, por sua vez, gera uma tendência à redução das taxas de lucro (na medida em que o valor da força de trabalho se mantenha e os salários reais aumentem no mesmo ritmo da acumulação e da produtividade). Em contraste, a formação das sociedades por ações, a superexploração dos trabalhadores e a abertura ao comércio exterior levam a uma acumulação continuada, independentemente da taxa de lucro predominante no momento em que essas transformações têm lugar.

As implicações empíricas da lei

A consideração da LQTTL como uma lei abstrata não nega sua significância empírica. A principal conclusão de Marx nesta parte d'*O Capital* é que a lei e as CTs não podem existir lado a lado em harmonia indefinidamente, mas devem por vezes ensejar crises. Isso exige uma interpretação cuidadosa, pois não há qualquer derivação axiomática da necessidade das crises, assim como não há uma derivação axiomática da queda da taxa de lucro. Pelo contrário, Marx aponta para a possibilidade *imanente* de crises, assim como ele havia feito no livro II d'*O Capital*, onde ele mostrou que essa possibilidade resultava da disjunção potencial entre compra e venda com base em valores constantes (ver capítulo 7). Isso pode ser estabelecido, como na teoria keynesiana da demanda efetiva, sem referência ao capitalismo, a não ser como um sistema de oferta e demanda coordenado pelo dinheiro. Mas, no livro I d'*O Capital*, Marx já havia estabelecido não apenas que a acumulação é um imperativo para o capitalismo, mas também que ela envolve processos de reestruturação econômica e social que devem incluir tanto a reprodução simples quanto a ampliada (conforme estabelecido no livro II). Noutras palavras, a troca não é nem simplesmente nem primordialmente um processo de coordenação de mercados, mas sim a expressão mais evidente das contradições da acumulação de mais-valor.

Para a LQTTL, uma fonte potencial de disjunção na circulação do (mais) valor é a acomodação, na troca, da expulsão relativa do trabalho e da mudança dos valores promovida pela reestruturação do capital. Esses processos são submetidos a distúrbios incessantes, os quais se devem às mudanças técnicas que têm lugar em toda a economia. Por exemplo, a redução dos valores, que tende a ocorrer à medida que a acumulação prossegue, corrói a preservação dos valores dos capitais, enquanto a expulsão do trabalho perturba as relações entre oferta e demanda, a extração de mais-valor e a reprodução da força de trabalho.

Essas perturbações demonstram que a LQTTL e as CTs têm uma conexão direta com fenômenos observáveis, muito embora elas não envolvam simples previsões de movimentos empíricos. Pelo contrário, elas oferecem uma base para a compreensão das tensões e deslocamentos promovidos pela acumulação de capital, apoiando a conclusão de que a lei e as CTs não podem coexistir lado a lado em repouso: capitais são desvalorizados até quando se preservam e se expandem. Essas contradições ensejam crises, *booms* e ciclos de produção e troca. Ademais, o desenvolvimento da possibilidade imanente de crise aponta para a *probabilidade* da crise em momentos nos quais esses processos não podem mais ser acomodados, especialmente (mas não exclusivamente) em razão de desproporções, investimentos equivocados e bolhas especulativas. Essas crises e suas consequências em termos de desemprego, concentração e centralização de capital, e assim por diante, são as "previsões" derivadas da análise de Marx da LQTTL. Os ciclos correspondentes estão associados com movimentos observáveis na taxa de lucro. Esses movimentos não são arbitrários, mas se baseiam nas tendências abstratas e em suas contradições.

Essa análise leva a outras implicações empíricas da LQTTL, pois sugere que as crises cujas origens se devem a desenvolvimentos na esfera da produção irão, não obstante, se manifestar na esfera da circulação – e podem fazê-lo de formas surpreendentes, dependendo das forças e fragilidades relativas daqueles que participam do processo de circulação do capital como um todo. Esta é uma razão pela qual a LQTTL pode levar empiricamente a quedas da taxa de lucro: à medida que o processo de acumulação se interrompa, a massa de lucros realizados é confrontada com uma massa invariável de capital fixo, e a lucratividade tende a cair. Mas isso não precisa ocorrer. Se, por exemplo, como resultado da estagnação econômica ou de falências, grandes massas de capital são depreciadas ou compradas pelos capitalistas sobreviventes a preços reduzidos, a taxa de lucro pode subir, um fator que frequentemente tem um papel importante na recuperação econômica.

A LQTTL e a teoria da crise

Como ilustra o ponto acima, a queda da taxa de lucro constitui uma espécie de fetiche na literatura. Frequentemente, tem-se perguntado se a teoria pode ou não gerar uma queda da taxa de lucro e, se sim, por quais mecanismos – seja o aumento da COC, da CVC ou dos salários (às custas dos lucros). Uma vez que a taxa de lucro tenha caído, presume-se que a economia entrará em colapso devido à falta de investimento, o que por sua vez produzirá uma demanda deficiente pelo produto potencial (como na teoria keynesiana). Sob essa perspectiva, há uma completa separação entre a teoria que explica a queda da lucratividade e os resultados dessa queda, ou seja, entre a causa e o curso da crise (e, em segundo plano, o mecanismo de recuperação, o qual, na análise de Keynes, depende de um *deus ex machina* – o déficit público – e de seu impacto sobre as expectativas dos capitalistas). Contudo, não se pode presumir que uma queda da lucratividade resulte automaticamente em uma crise. Mesmo que ocorra uma redução dos incentivos e da capacidade de acumular, há que se reconhecer que alguma recompensa é melhor do que nenhuma. A continuidade do processo de acumulação pode ser necessária para a preservação do capital (fixo) existente e o pagamento das dívidas contraídas; além disso, e mais importante, a lucratividade declinante é uma poderosa força competitiva. Assim, à medida que os capitalistas tentam restaurar a lucratividade, eles podem até acumular mais rápido do que antes!

Para Marx, reduções na taxa de lucro podem detonar crises econômicas (por exemplo, falências industriais podem levar a falências bancárias e ao arrocho do crédito), mas isso oferece mais uma descrição do que uma análise profunda das causas e do curso das crises. Mais importante, isso não demonstra a relação orgânica entre a crise e a acumulação de capital – exceto trivialmente, na medida em que insinua que uma economia de mercado descoordenada é incapaz de manter o crescimento equilibrado no longo prazo. Em contraste, se a LQTTL é entendida como a combinação de tendências contraditórias operando ao longo da produção e da troca, as crises podem ser analisadas com base nas características fundamentais do processo de *acumulação de capital*.

Isso requer uma análise da produção de valor e de sua expressão na troca, análise esta que deve se situar em um contexto muito mais amplo do que o apresentado nos capítulos de abertura do livro I d'*O Capital*. Ali, o valor é entendido como uma relação social que exprime a equivalência entre tipos diferentes de trabalho por meio da categoria do trabalho abstrato. Em toda economia capitalista haverá diferentes qualificações e tipos de trabalho. Dentro de cada setor, haverá também firmas com níveis diferentes de produtividade. O imperativo do lucro, o controle capitalista sobre o processo de trabalho, a competição dentro e entre os setores e a equivalência das mercadorias na troca reduzem esses trabalhos ao denominador comum do valor (ver capítulos 2 e 3). Com a acumulação e a concorrência promovendo a redução dos valores das mercadorias, o tempo de trabalho socialmente necessário (TTSN) em cada setor se torna o centro ao redor do qual giram os trabalhos individuais e os processos de acumulação.

O reconhecimento da interação entre a lei e as CTs levanta problemas difíceis para a teoria do valor, os quais só podem ser resolvidos por meio de uma compreensão cada vez mais complexa e concreta do valor. Por exemplo, na medida em que a acumulação leva à contínua redução do TTSN, o conceito de valor parece ser colocado em risco, pois sua quantificação é subvertida tão logo seja estabelecida. A única maneira de enfrentar essa dificuldade é o reconhecimento de que a equivalência entre diferentes tipos de trabalho é estendida para trabalhos que possuem diferentes níveis de produtividade. Já ilustramos dois casos desse processo. Como visto acima, insumos fabricados em diferentes momentos no tempo e com diferentes tecnologias são transformados pelo trabalho vivo em novos produtos, os quais, por sua vez, são frequentemente consumidos de maneira produtiva como insumos em outros processos de produção. Consequentemente, a equivalência material entre diferentes tipos de trabalho e entre trabalhos de diferente produtividade é geralmente estabelecida na *produção,* e não na troca. Por sua vez, a COC é determinada com base em equivalências baseadas em valores estabelecidos previamente, enquanto a CVC é formada por meio da emergência dos novos valores determinados pelas condições produtivas modificadas associadas ao crescimento da COC.

Isso é o máximo que se pode dizer sobre a dinâmica da taxa geral de lucro neste nível de análise, e não é possível ir mais longe sem especificar a natureza da interação entre a lei e as CTs. Isso pode ser feito teoricamente, por meio da análise dos mecanismos pelos quais as relações de valor são exprimidas na troca, ou empiricamente, por meio da especificação das condições nas quais a acumulação ocorre historicamente. Dois importantes fatores em ambas as dimensões da análise da lucratividade são o papel das finanças e o papel do capital fixo. À sua maneira, ambos influenciam enormemente e são diretamente afetados pelo estabelecimento da equivalência de valores na troca, na medida em que os capitais buscam preservar e passar adiante valores cambiantes ao longo de um período prolongado, durante o qual eles podem ser confrontados concorrencialmente por substitutos mais baratos e competidores mais produtivos. Esses tópicos não podem ser desenvolvidos aqui (mas veja o capítulo 3 e as leituras adicionais ali sugeridas).

Uma resposta a Okishio

A crítica mais influente da teoria de Marx da LQTTL tem como ponto de partida um teorema apresentado e reproduzido em forma matemática pelo economista japonês Nobuo Okishio. De forma breve e informal, Okishio argumenta que, dada uma maior disponibilidade de técnicas de produção, a taxa de lucro não pode cair a menos que os salários reais aumentem. Noutras palavras, uma taxa de lucro declinante depende de salários crescentes, ao invés de resultar de contradições internas ao processo de acumulação de capital, como é o caso para Marx. Na análise de Okishio, os capitalistas irão adotar novas técnicas de produção somente se elas forem mais lucrativas do que as técnicas existentes, dados os preços das mercadorias e o nível dos salários. Uma vez generalizadas essas novas técnicas, elas resultarão em um novo conjunto de preços (mais baixos) e uma nova taxa de lucro, equalizada através dos vários setores. Os preços não se alterarão apenas nos setores onde houve inovação, já que esses preços mais baixos serão repassados aos setores nos quais essas mercadorias são usadas como insumos ou como parte do salário. Neste caso, a questão de Okishio é a seguinte: será que os capitalistas, agindo cegamente com o intuito de aumentar a sua lucratividade individual por meio da introdução de novas técnicas, poderiam paradoxalmente levar o sistema a uma taxa de lucro mais baixa? Não é surpreendente que ele chegue a uma resposta negativa (a menos que os salários reais aumentem proporcionalmente mais do que a produtividade) e conclua que a análise de Marx da LQTTL é incorreta.

O teorema de Okishio é um exercício de estática comparativa, ou seja, ele compara uma posição de equilíbrio econômico com outra, muito embora a estática comparativa seja inadequada para a análise de mudanças na taxa de lucro como fonte da crise. Noutras palavras, se nos movemos de uma posição do equilíbrio (estático) para outra, não podemos analisar a crise independentemente do que acontece com a taxa de lucro, já que, ao fazê-lo, só estamos comparando aquilo que assumimos como um equilíbrio com outro. Não obstante, Okishio chega à sua conclusão com base nos pressupostos de que, primeiro, a economia se move de uma posição de equilíbrio estático para outra; e de que, segundo (e implicitamente), se a taxa de lucro cair (em razão de aumentos salariais grandes demais), nós temos uma crise – mas, caso contrário, não. No entanto, não se esclarece por que uma taxa de lucro de equilíbrio mais baixa deveria levar diretamente a uma crise – uma questão que se coloca naturalmente, especialmente quando se considera que uma taxa de lucro mais baixa é preferível a um colapso econômico.

Isso levanta a questão muito mais interessante do movimento entre os dois equilíbrios. A análise desse processo evidencia que a abordagem associada a Okishio não é uma interpretação da LQTTL de Marx, mas, antes, ela é seu oposto. Pois, na abordagem de Okishio, um capitalista individual adota inicialmente uma técnica de produção mais vantajosa por meio de um acesso superior às finanças ou à tecnologia e, enquanto predominam os preços iniciais, esse capitalista obtém uma taxa de lucro superior. Essa abordagem é completamente distinta da análise de Marx do aumento da COC. Para Marx, como foi mostrado acima, a tendência à queda da taxa de lucro se deve à valoração de insumos e produtos baseada em valores antigos, o que é válido para o *capital como um todo*.

Considere agora, no contexto do teorema de Okishio, as consequências da generalização da nova técnica para todos os capitais de um setor, e a formação de novos preços e uma nova taxa de lucro de equilíbrio. Pode ser demonstrado matematicamente que a taxa de lucro de curto prazo do capitalista inovador é mais alta do que a nova taxa de "equilíbrio" de longo prazo (isto é, a taxa de lucro que predominará após a difusão da mudança técnica), a qual, por sua vez, é maior do que a taxa de lucro original de "equilíbrio" (isto é, a taxa que predominava antes da mudança técnica). Assim, o capitalista que adquiriu uma vantagem através da inovação técnica descobre que essa vantagem é erodida à medida que a inovação se generaliza. Isto é, a redução de preços promovida pela introdução da nova tecnologia eventualmente reduz a taxa de lucro do capitalista inovador. Portanto, para Okishio, a formação dos preços a partir das mudanças técnicas funciona, para o capitalista inovador *individual*, como uma pressão que reduz a taxa de lucro, movendo-a no sentido da taxa média (isto é, a nova taxa média, que é superior àquela que predominava anteriormente). Em contraste, para Marx, o processo de formação dos preços (e da CVC) resultante das mudanças técnicas constitui uma tendência contraposta à queda da lucratividade do capital *como um todo*, já que leva a uma redução do valor dos capitais constante e variável.

Coloque, agora, os dois processos juntos, introduzindo uma nova tecnologia e disseminando-a para os outros produtores, de modo a formar novos preços. Para Okishio, esses processos são fenômenos empíricos imediatos de equilíbrio. Eles não interagem um com o outro para levar a resultados mais complexos e concretos; em vez disso, eles são simplesmente somados algebricamente para mostrar que, entre um equilíbrio e outro, tem lugar um aumento da lucratividade na economia como um todo. Além disso, os dois processos de desequilíbrio cancelam um ao outro como processos de mudança, deixando o sistema num equilíbrio harmonioso. Por causa disso, a abordagem de Okishio não pode estabelecer uma distinção entre a CVC e a COC. Em vez disso, ela se apoia exclusivamente sobre uma noção de CVC restrita ao estado de equilíbrio, a qual, não obstante, recebe o nome de "composição orgânica". Em contraste, para Marx, a lei e as CTs são tendências abstratas cuja interação constitui não uma soma algébrica qualquer, mas antes um caminho de acumulação repleto de crises, e que pode ser compreendido, mas nem sempre antecipado.

O resultado de Okishio é significativo apenas no sentido limitado de que a taxa de lucro *pode* cair se os salários subirem suficientemente (além do necessário para sobrepujar o impacto dos aumentos de produtividade sobre os lucros). Contudo, a taxa de lucro pode cair por outras razões não relacionadas aos movimentos dos salários; por exemplo, um choque externo adverso (digamos, uma deterioração nos termos de troca causada pelo aumento dos preços de produtos importados), uma crise financeira (pertinente nos dias atuais à luz da estagnação dos salários nas últimas três décadas ou mais) ou uma deterioração das expectativas dos empresários. Isso sugere que o impacto dos salários deve ser circunscrito como (no máximo) um dos fatores que influenciam a lucratividade e a acumulação (lembrando que análises do tipo da de Okishio são inteiramente estáticas). Note-se que os salários, em Marx, são uma *consequência* do processo de acumulação, e não um tipo de influência independente. Especificamente, muito embora salários mais altos possam precipitar uma crise, a acumulação de capital também pode *prosperar* com salários reais crescentes, já que eles levam a níveis mais altos de consumo e vendas. Em contraste, se os salários reais permanecem constantes apesar do progresso técnico, há uma redução do valor da força de trabalho e um aumento da taxa de mais-valor. Estas são CTs para Marx. O fato de que elas existem – e de que elas resultam do próprio processo de acumulação – não garante a ausência de crises. Enquanto esses resultados são sempre possíveis no contexto da análise de Marx da LQTTL e das CTs, eles são ocultados pelo interesse exclusivo de Okishio no conflito entre lucros e salários.

O colapso do sistema financeiro global em 2008 demonstra como a queda da taxa de lucro e a crise podem resultar independentemente de, ou mesmo apesar de, salários reais estagnados (ver capítulo 14). Portanto, o teorema de Okishio só pode ser salvo, na melhor das hipóteses, aceitando-se que ele não se aplica nessas circunstâncias. Em contraste, a LQTTL e as CTs de Marx continuam válidas; elas são diferentes no que se refere ao método, ao escopo e ao conteúdo, e não são negadas por Okishio. Pois elas enfocam as contradições (e a possibilidade de crise) inerentes à acumulação e à circulação do capital como um todo, para as quais o aumento dos salários reais constitui apenas um elemento que precisa ser situado analiticamente de forma apropriada, e não tomado como um fator exógeno e independente.

Questões e leituras adicionais

As questões relacionadas à LQTTL foram cobertas no texto. Marx desenvolve sua análise em Marx (1981, parte 3). A exposição neste livro se apoia em Ben Fine (1982, cap.8 e, especialmente, 1992) e em Ben

Fine e Laurence Harris (1979, cap. 4). Para interpretações similares, ver Duncan Foley (1986, cap. 8), Geert Reuten (1997), Roman Rosdolsky (1977, cap. 26) e John Weeks (1982). A crítica de Marx desenvolvida por Nobuo Okishio (1961) atraiu enorme atenção – ver, por exemplo, *Research in Political Economy* (vol. 18, 2000); ver também, todavia, o reconhecimento de Okishio (2000) das limitações do seu texto original (inclusive as alterações propostas, que não enfrentam, contudo, os problemas identificados neste capítulo). Para uma revisão mais ampla da LQTTL em Marx, ver Reuten e Thomas (2011).

Capítulo X

O CHAMADO "PROBLEMA DA TRANSFORMAÇÃO"

No livro I d'O *Capital*, Marx se preocupa com a produção de valor e de mais-valor e, no livro II, com a sua circulação e troca. Uma grande parte do livro III trata das relações distributivas que emergem da interação entre a produção e a troca. Em sua análise, Marx enfoca a distribuição do mais-valor produzido por capitais industriais concorrentes baseados em diferentes setores da economia, o que inclui a apropriação de parte desse mais-valor pelos capitais comercial e financeiro e pela classe dos proprietários fundiários.

O ponto de partida da análise de Marx da distribuição é seu argumento de que capitais de mesmo tamanho geralmente produzem quantidades diferentes de mais-valor, na medida em que cada capital emprega uma quantidade diferente de trabalho produtor de valor. Apesar disso, todos os capitais tendem a auferir taxas iguais de retorno; caso contrário, eles iriam se mover para áreas mais lucrativas da economia. Marx explica a distribuição de capital e de trabalho através da economia e a distribuição do mais-valor produzido pelo capital industrial (na ausência de outras formas de capital) por meio da *transformação* de valores em preços de produção. Em um nível de análise ainda mais concreto, os capitalistas comerciais e financeiros e os proprietários fundiários capturam, na troca, uma parte do mais-valor produzido pelo capital industrial. Marx explica esses processos através de sua análise do lucro comercial, dos juros e da renda da terra (abordados aqui, respectivamente, nos capítulos 11, 12 e 13).

Dos valores aos preços de produção

Ao analisar a distribuição de mais-valor entre capitais industriais em diferentes setores da economia, Marx se concentra inicialmente na tendência de equalização da taxa de lucro. A taxa de lucro geral é $l = M / (C + V)$, e as quantidades de valor M, C e V são os agregados de mais-valor e de capital constante e variável para a economia como um todo. Marx argumenta que cada capitalista industrial participaria do mais-valor total produzido de acordo com sua participação no capital investido, ao invés de simplesmente se apropriar do mais-valor que eles mesmos produziram: é como se cada capitalista recebesse um dividendo sobre uma ação da economia como um todo. Como resultado, a participação nos lucros de um capitalista *i* que investe um capital constante e variável equivalente a $c_i + v_i$ seria representada por $l\,(c_i + v_i)$. Por exemplo, se a taxa de lucro geral é de 50% e o capitalista médio, que produz um bem qualquer, investe $100.000 (constituído de capital constante e variável e inclui a depreciação do capital fixo), os lucros anuais da firma tenderiam a ser $50.000.

Correspondentemente, haveria um *preço de produção* da mercadoria em questão, constituído pelo custo de produção mais o lucro:

$$p_i = c_i + v_i + l\,(c_i + v_i) = (c_i + v_i)\,(1 + l)$$

Um simples exemplo ilustrará isso (ver tabela 10.1). Suponhamos que há na economia apenas dois capitais produzindo bens distintos, um dos quais usa $60c + 40v$ e o outro $40c + 60v$, e que a taxa de mais-valor é de 100%. (Aqui seguimos as notações de Marx ao somar c, v ou m seguindo as quantidades de valor, 60 ou 40, para indicar a composição de valor da mercadoria). Nesse caso, o valor do produto do primeiro capital será $60c + 40v + 40m = 140$, e o valor do produto do segundo capital será $40c + 60v + 60m = 160$.

Tabela 10.1 A Transformação em Marx*

Capitais	Taxa de mais-valor	Mais-valor	Valor do produto	Taxa de lucro "em termos de valores"	Preço	Lucro	Taxa de lucro "em termos de preços"
$D = c + v$	$e = m/v$	$m = ev$	$D' = c + v + m$	$l = m/c + v$	$p = c + v 1 + l$	$\pi = p - c + v$	$l = \pi / c + v$
$60c + 40v$	1	40	140	0,4	150	50	0,5
$40c + 60v$	1	60	160	0,6	150	50	0,5
$100c + 100v$	1 (ou 100%)	100	300	0,5 (ou 50%)	300	100	0,5 (ou 50%)

(*) A última linha indica totais ou médias, onde apropriado

Esse exemplo levanta um problema sério. Ele sugere que capitalistas que investem somas iguais de dinheiro, mas usam proporções distintas de *c* e *v* teriam taxas de lucro individuais *diferentes*. No exemplo acima, o primeiro capital obtém apenas $l_1 = 40/ (60+40) = 40\%$, enquanto o segundo capital aufere uma taxa de lucro maior, $l_2 = 60/ (40+60) = 60\%$. Isso se deve à diferença na composição dos capitais investidos: uma proporção relativamente mais alta de capital variável leva a uma taxa de lucro maior. Isso não deveria surpreender. Se apenas o trabalho cria valor (e, portanto, lucro), e se os meios de produção meramente transferem seu valor ao produto, o capital que emprega mais trabalho produz mais valor e mais-valor e, tudo mais constante, tem uma taxa de lucro mais alta.

Dada a possibilidade de migração entre setores, capitais obtendo taxas de lucro diferentes não irão coexistir por muito tempo. Noutras palavras, já que cada capitalista contribui igualmente em termos de capital investido (100), cada um deve compartilhar igualmente do lucro distribuído (50 cada). Isso só poderá ocorrer caso os preços de produção sejam 150 cada um, não obstante as diferenças entre os valores produzidos nos dois setores. Noutras palavras, a equalização das taxas de lucro entre capitais em setores diferentes requer a *transferência* de (mais) valor entre setores da economia, que é levada a cabo por meio de *diferenças* entre os preços de produção e os valores das mercadorias.

Como capitais em setores diferentes geralmente usam proporções distintas de trabalho, matéria-prima e maquinaria para produzir mercadorias, Marx conclui que os produtos não são geralmente trocados a seus valores, mas a seus preços de produção. Os preços de produção diferirão dos valores sempre que a composição de capital, c_i/v_i, for maior ou menor do que a média para a economia como um todo. (Note que, para o primeiro capital na tabela 10.1, $c/v = {}^3/_2$ e, para o segundo, $c/v = {}^2/_3$, em contraste com a média de 1 para a economia como um todo).

A transformação de Marx e seus críticos

A explicação de Marx para a relação entre valores e preços é um dos aspectos mais controversos da sua teoria do valor. Ela levou vários analistas – alguns inclusive simpáticos a outros aspectos do marxismo – a rejeitar a teoria do valor-trabalho como irrelevante ou até mesmo errônea.

Essa reação se deve à percepção de que a solução de Marx ao problema da transformação seria incorreta, e à noção de que as consequências desse "erro" presumido teriam, supostamente, graves consequências teóricas. O ponto central da crítica é o seguinte: Marx demonstrou que, quando capitais competem entre setores (e quando a migração de capital de um setor para outro é possível), as mercadorias não são mais trocadas a preços equivalentes aos seus valores. Isso leva tanto à objeção empírica de que os valores seriam irrelevantes – já que, efetivamente, eles não regem as trocas – quanto à crítica lógica de que, no livro III, Marx teria continuado a avaliar os insumos, *c* e *v* (e a taxa de lucro "em termos de valor", que é usada no cálculo dos preços de produção), como se eles fossem valores, ao invés de preços. Noutras palavras, é como se, para os críticos, Marx presumisse que as mercadorias são compradas "a seus valores" (respectivamente, 140 e 160), mas vendidas "a seus preços de produção" (150 e 150) – o que é inconsistente, uma vez que os preços de venda e compra devem, necessariamente, ser os mesmos.

Do ponto de vista do problema da tradução de dados valores em preços de produção em uma economia em equilíbrio, isso seria uma deficiência – mas uma da qual Marx estava plenamente consciente, e que pode ser facilmente corrigida. Trata-se meramente de uma questão de transformar os insumos e os produtos simultaneamente, por meio de um procedimento algébrico elementar. A implicação dessa "correção" é bastante simples: as mercadorias possuem tanto valores quanto preços, e dois sistemas contábeis distintos (não necessariamente igualmente importantes, seja na teoria ou na prática) são possíveis. Um desses sistemas contábeis expressa o tempo de trabalho socialmente necessário para a produção de cada mercadoria, e o outro exprime a quantidade de dinheiro que, em geral, a mercadoria obteria na venda.

Mais relevante do que a "solução" algébrica do "problema" da transformação é a observação de que a teoria do valor-trabalho de Marx não pode ser rejeitada a partir de dificuldades quantitativas, como a busca por uma solução algébrica "correta" parece sugerir. De maneira crucial, Marx mostrou que os valores existem como consequência das relações sociais entre os produtores, e que a formação de preços traduz as condições de produção em relações de troca. Porque eles *existem* (ao invés de serem simplesmente um construto imaginário), os valores não podem ser testados ou rejeitados a partir de interpretações algébricas da teoria de Marx. Pelo contrário, a relação *real* entre valores e preços precisa ser reconhecida teoricamente e explorada analiticamente (perguntando, por exemplo, por que as relações de produção dominantes dão origem à forma valor; por que os valores aparecem, na prática, como preços; como eles mudam ao longo do tempo; e como as tensões entre valores e preços contribuem para as crises econômicas).

Desse ângulo, é significativo que a literatura sobre o problema da transformação tradicionalmente enfatize as implicações das diferenças entre as *composições de valor dos capitais* (CVC) investidos em diferentes setores na economia – como se *c* e *v* na tabela 10.1 fossem quantidades de *dinheiro*, com 140 e 160 exprimindo os preços "originais" das unidades produzidas, e 150 os preços unitários "modificados pela concorrência".

Este não é o caso para Marx. No livro III, Marx considera a transformação *inteiramente* em termos da composição orgânica do capital (COC), que, como mostramos no capítulo 8, se refere apenas aos efeitos das diferentes taxas de transformação das matérias-primas em produtos finais (em contraste, os diferentes valores dos insumos são capturados pela CVC). Assim, Marx está menos preocupado com o modo como os insumos (c e v) obtiveram seus preços originais do que com a maneira pela qual COCs diferentes, ou diferenças entre as produtividades de cada setor, influenciam a formação de preços e lucros.

Em resumo, para Marx, o problema é o seguinte: se uma dada quantidade de trabalho vivo em um setor (empregada através do adiantamento de capital variável v) transforma uma *quantidade* maior de matérias-primas, representadas por c (independentemente do seu custo) do que em outro setor, as mercadorias assim produzidas comandarão um preço maior relativo ao valor, como discutido acima e ilustrado numericamente na tabela 10.1. Noutras palavras, o uso de uma *quantidade* maior de trabalho na produção criará mais valor e mais-valor do que uma quantidade menor – independentemente do setor, do valor de uso produzido e do custo das matérias-primas. Essa é uma proposição completamente genérica dentro da teoria do valor, e ela sustenta a explicação de Marx sobre a existência de preços e lucros. O fato de que Marx usa a COC, e não a CVC, em sua transformação é significativo, pois a COC conecta a taxa de lucro à esfera da *produção*, onde o trabalho vivo produz valor e mais-valor. Em contraste, a CVC liga a taxa de lucro à esfera da *circulação*, onde as mercadorias são trocadas e os valores recém-estabelecidos medem a taxa da acumulação de capital.

Sua ênfase na COC mostra que Marx está preocupado primordialmente com os efeitos das diferenças entre as capacidades de criação de (mais) valor dos capitais investidos sobre os preços ou, alternativamente, com o impacto, sobre os preços, das diferenças entre as *quantidades* de trabalho necessário para transformar os meios de produção em produto final – independentemente do valor dos meios de produção usados como insumos. O uso da COC na análise da criação e distribuição do lucro é importante, porque ele determina de maneira firme e clara que a fonte do mais-valor e do lucro é o *trabalho não-pago*. Isso ajuda Marx a fundamentar suas afirmações de que as máquinas não criam valor, o mais-valor e o lucro não emergem de uma troca desigual, e a renda, os juros e o lucro industriais são parcelas do mais-valor produzido pelos trabalhadores assalariados produtivos.

Na sua transformação dos valores em preços de produção, Marx não lida com uma teoria dos preços de equilíbrio (como na economia neoclássica e em várias interpretações convencionais da teoria do valor-trabalho), mas com a relação entre diferenças ou mudanças na produção e na formação dos preços. Isso funciona, no livro III, como um prelúdio ao tratamento da lei da tendência de queda da taxa de lucro (LQTTL) – embora a ordem da apresentação esteja invertida neste livro. Cabe notar, por fim, que o problema da transformação e a LQTTL têm geralmente sido considerados como dois problemas analiticamente distintos (embora o posicionamento de um autor em cada um deles seja interpretado, frequentemente, como um compromisso a favor ou contra a teoria do valor de Marx em sentido mais amplo). Contudo, neste capítulo e no anterior, por meio do uso consistente da COC como algo distinto da CVC, verificou-se que os dois problemas estão intimamente relacionados. Ambos se referem às tensões criadas pela integração entre a produção e a troca e, especificamente, às consequências das diferenças ou mudanças nas condições de produção para a formação dos preços, em particular, e os movimentos na esfera da troca de forma mais geral.

Questões e leituras adicionais

É notável como, mesmo entre os analistas simpáticos a Marx, a transformação de valores em preços de produção se desvencilhou de outros "problemas" da economia política para se tornar um debate sobre a formação de preços de equilíbrio. Não surpreende que a literatura sobre o problema da transformação seja vasta. O tratamento original é apresentado em Marx (1981, partes 1 e 2). A interpretação da transformação apresentada neste capítulo foi sugerida por Ben Fine (1983), e é explicada e desenvolvida por Alfredo Saad Filho (1997; 2002, cap. 7). Diversas abordagens alternativas estão disponíveis; para um panorama, ver Simon Mohun (1995) e Alfredo Saad Filho (2002, cap.2). As análises sraffianas, que rejeitam a teoria do valor como irrelevante e/ou errônea, são concisamente apresentadas em Ian Steedman (1977) – para críticas, ver os textos em Ben Fine (1986) e Bob Rowthorn (1980), bem como Anwar Shaikh (1981, 1982). Gérard Duménil (1980) e Duncan Foley (1982) propuseram uma "nova interpretação" do problema, que foca o valor do dinheiro como meio de resolver os dilemas supostamente encontrados em Marx. Essa interpretação é revisada criticamente por

Ben Fine, Costas Lapavitsas e Alfredo Saad Filho (2004), e Alfredo Saad Filho (1996). Debates mais recentes sobre a natureza e a definição do valor, com implicações diretas sobre o problema da transformação, podem ser encontrados no *Cambridge Journal of Economics*, *Capital & Class*, *Historical Materialism* e *Science & Society*. Novamente, Moseley (2015) oferece sua própria e original interpretação.

Capítulo XI

O CAPITAL COMERCIAL

Neste capítulo e no próximo, esboçaremos a teoria do capital de Marx à luz da problemática do comércio. Nos capítulos anteriores, enfatizou-se sobretudo o papel do capital na produção de mais-valor. Ainda que o comércio tenha sido tratado como um complemento necessário, ele foi pouco explorado. Não é possível, todavia, compreender o lucro, os juros e as crises sem um estudo atento das atividades capitalistas fora da produção – estudo este que deve se relacionar estreitamente com os temas previamente discutidos. O presente capítulo é destinado à investigação da categoria do capital comercial. O capítulo 12 analisa a noção de capital portador de juros.

A categoria do capital comercial

A análise de Marx do capital comercial é atravessada por uma distinção crucial: a distinção entre *dinheiro como dinheiro* e *dinheiro como capital* (ver capítulos 4 e 12). O dinheiro funciona como dinheiro quando age como meio de troca entre dois agentes, mediando o intercâmbio de mercadorias independentemente da posição dos respectivos agentes na circulação do capital – sejam eles capitalistas que se dedicam à produção ou capitalistas e trabalhadores buscando o consumo. Portanto, o papel do dinheiro como dinheiro é compreendido por referência à circulação mercantil simples, M – D – M. Em contraste, o dinheiro como capital é compreendido por referência ao circuito do capital, D – M ... P ... M' – D', onde o dinheiro é empregado com o propósito específico de produzir mais-valor.

Há uma relação clara entre as duas funções do dinheiro no capitalismo, já que a circulação simples de mercadorias e a produção industrial estão intimamente conectadas. Por exemplo, um trabalhador vende a sua força de trabalho e compra uma bicicleta. Essas transações têm a forma da circulação simples de mercadorias, *M – D – M*. Ambas as fases de *M – D – M*, quais sejam, *M – D* e *D – M*, são apresentadas acima da perspectiva do trabalhador. Mas, do ponto de vista dos capitalistas, *M – D – M* se dá de maneira invertida: primeiramente, tem lugar a venda da bicicleta, *M – D*, e, então, a compra da força de trabalho, *D – M*. O que é *M – D* para um agente é *D – M* para outro. Além disso, o uso do dinheiro tanto como dinheiro quanto como capital pode envolver relações de crédito, já que dinheiro é tomado e emprestado para facilitar os atos de troca. Em sua análise do capital comercial, Marx explica detalhadamente a operação do dinheiro como dinheiro.

A análise de Marx do capital comercial é abstrata. Embora estejam intimamente entrelaçados, a produção e o comércio capitalistas são estruturalmente distintos, e Marx identifica uma tendência de separação dessas atividades na economia. Para compreender a natureza específica do capital comercial – isto é, o capital voltado exclusivamente à realização das trocas –, precisamos capturar teoricamente essa tendência real.

Além de distinguir entre o capital industrial, que produz mais-valor, e o capital comercial, que promove a circulação desse mais-valor e facilita a transição entre as formas capital-mercadoria e capital monetário (aumentando indiretamente a massa de mais-valor produzida pelo capital industrial), Marx destaca que o capital comercial tende a se dividir em duas formas: capital de comércio de mercadorias (dedicado à compra e venda de mercadorias) e capital de comércio de dinheiro, ou CCD (dedicado ao manuseio do dinheiro).

Com o desenvolvimento da produção, os atos de compra e venda se tornam tarefas especializadas de capitalistas específicos (por exemplo, o transporte, o armazenamento e a venda por atacado e no varejo). Os capitalistas industriais se apoiam cada vez mais em capitalistas comerciais especializados para realizar o valor e o mais-valor. Ademais, certas funções que emergem da produção de mercadorias – tais quais a contabilidade, o cálculo e a manutenção de reservas monetárias e a manipulação dos fluxos de dinheiro – tendem a se tornar a atividade especializada de negociantes de dinheiro.

Marx acrescenta que o capital comercial está sujeito à mobilidade competitiva entre ele mesmo e o capital industrial. Capitalistas industriais podem, por exemplo, se mudar para o comércio, como foi atualmente demonstrado pela ubiquidade das vendas diretas na internet. O mesmo pode ocorrer com capitalistas mercantis, que podem entrar na indústria – por exemplo, quando grandes varejistas contratam fabricantes para produzir bens de "marca própria". Consequentemente, a taxa de retorno do capital mercantil tende a se tornar igual à taxa de lucro do capital industrial, muito embora o primeiro não produza, ele mesmo, mais-valor, o qual só pode ser criado pelo trabalho produtivo mobilizado pelo capital industrial (ver capítulo 3).

Os preços de produção modificados

A presença do capital mercantil modifica a formação dos preços de produção, já que o capital adiantado na compra e venda de mercadorias não produz mais-valor, mas tende a compartilhar o mais-valor distribuído como lucro. Do ponto de vista dos capitalistas comerciais, a força de trabalho adquirida parece produtiva, pois é comprada como capital variável com a intenção de valorizar o capital adiantado. Contudo, o que ela cria não é mais-valor, mas sim a habilidade dos capitalistas comerciais de se apropriarem de parte do mais-valor produzido pelo capital industrial. Em outras palavras, os custos do capital comercial (e seus lucros) não são acréscimos ao valor, e o capital comercial não determina o preço pelo qual as mercadorias são vendidas. A origem dos lucros comerciais se encontra na compra das mercadorias, pelos comerciantes, por preços *inferiores* aos preços de produção, e sua venda *pelos* seus preços de produção (ver capítulo 10).

Suponhamos, inicialmente, que as trocas comerciais não têm custos, e que os comerciantes adiantam uma quantidade B de dinheiro para realizar suas funções. Com base na notação usual, o capital total adiantado é, agora, $C + V + B$ e a taxa geral de lucro é $l = M / (C + V + B)$. Os industriais vendem mercadorias aos comerciantes a preços inferiores aos valores, a um preço agregado de $(C + V) (1 + l)$. Por sua vez, os comerciantes somam seus lucros para formar o preço de venda total $(C + V) (1 + l) + Bl = C + V + (C + V + B) l$. Mas $(C + V + B) l =$ M, de modo que o preço total das vendas equivale a $C + V + M$, que é o valor total produzido.

A situação é um pouco mais complexa quando os comerciantes incorrem em outros custos além do simples adiantamento de dinheiro. Esses custos podem incluir meios de produção usados no processo de circulação (caminhões, lojas etc.) e capital variável adiantado como salário. Suponhamos que esses custos equivalham a K_m. Conforme o procedimento acima, os industriais vendem aos comerciantes a um preço inferior ao valor: $(C + V) (1 + l)$. Os comerciantes recebem uma taxa de lucro média sobre o dinheiro investido B, e recuperam completamente seus custos K_m, acrescidos do lucro sobre esses custos. Uma vez que o valor total é igual ao preço de venda total, $C + V + M = (C + V) (1 + l) + BL + K_m (1 + l)$. Isso implica que $l = (M - K_m) / (C + V + B + K_m)$. De forma pouco surpreendente, o capital comercial adiantado, K_m, está incluído no denominador; além disso, como se trata de um custo adicional, ele também aparece no numerador como dedução do mais-valor total.

O capital mercantil em nível mais complexo

Em tese, a distinção teórica entre capital industrial e capital mercantil é elementar: basta aceitar a diferença entre as esferas da produção e da troca no circuito do capital industrial. Na prática, no entanto, nada é tão simples. Historicamente, e até os dias de hoje, encontramos o que se pode chamar de "híbridos", os quais perpassam tais distinções. Alguns industriais podem vender por conta própria ao invés de depender de comerciantes especializados. Alguns comerciantes podem participar diretamente da produção, o que pode ser visto tanto no sistema doméstico de produção (que Marx descreve como '*putting out system*' no livro I d'*O Capital*) quanto, mais recentemente, na maneira pela qual varejistas de roupas lançam mão de produtores dependentes que trabalham em situação precária. Trata-se, nesses casos, de capitais industriais ou mercantis? De nenhum deles, ou de ambos?

De forma geral, é comum que os capitalistas industriais se envolvam simultaneamente com diferentes tipos de gestão da produção, comércio e finanças – pense, por exemplo, nos grandes fabricantes de automóveis que oferecem crédito ao consumidor. Esses transbordamentos através das fronteiras não negam a distinção analítica entre produção e comércio, mas indicam que, muitas vezes, problemas de classificação não podem ser resolvidos antecipadamente pela teoria. Ao contrário, eles dependem da investigação empírica. A alocação de unidades específicas de capital sob uma ou outra categoria depende essencialmente do quanto essas atividades podem ser realizadas, normalmente, de forma independente nas esferas da produção ou da troca. Com isso, é possível estabelecer padrões aos "híbridos", sobretudo quando os capitais não são designados necessária e exclusivamente em uma esfera ou outra. Além disso, como já foi indicado acima, dado que a divisão e alocação das atividades industriais e comerciais estão sujeitas a mudanças, é importante avaliar a dinâmica da relação entre elas e verificar se formas específicas são transitórias e tendem a evoluir para arranjos mais estáveis. Essa situação é comum na história do capitalismo. Ela pode ser constatada tanto quando comerciantes se tornam produtores ou assumem responsabilidades na produção quanto quando os produtores se incumbem das vendas. Atualmente, isso se torna ainda mais visível com o aumento da subcontratação, o estabelecimento de franquias e, mais importante, a participação conjunta do crédito e das finanças na produção e nas vendas.

Tracemos uma analogia com o caso dos trabalhadores autônomos. Qual é o seu *status*? À primeira vista, eles não parecem ser trabalhadores assalariados explorados. Mas e se os seus rendimentos corresponderem aos de assalariados qualificados (ou mesmo aos sem qualificação) e se eles trabalharem para a mesma empresa em jornadas tão longas quanto os assalariados – e, frequentemente, sem segurança, aposentadoria ou outros direitos contratuais? Nesse caso, os trabalhadores autônomos são assalariados disfarçados e, provavelmente, são altamente explorados, apesar da sua aparente "independência". Do mesmo modo, pode haver trabalhadores autônomos cujos rendimentos excedam o valor produzido (por exemplo, contadores e advogados de alto nível, cujas rendas e *status* são similares aos dos gerentes ou pequenos capitalistas).

Esse último exemplo indica que os problemas de classificação e a presença de categorias híbridas não invalidam a análise abstrata. De fato, eles a tornam ainda mais essencial para que se evite recair em descrições cada vez mais detalhadas. Os limites da análise abstrata precisam, todavia, ser reconhecidos, e referências devem ser feitas às realidades empíricas. Há uma relação entre ambas, pois as categorias abstratas fornecem a base sobre a qual resultados empíricos cada vez mais complexos podem ser compreendidos. O mesmo princípio se aplica às distinções entre as esferas da produção e da troca e entre o capital industrial e mercantil. Esses pontos foram elaborados detalhadamente aqui não apenas para desvelar os enigmas do capital comercial, mas, primordialmente, porque são fundamentais para a análise do caso ainda mais complexo do dinheiro e do capital portador de juros, empreendida nos capítulos 12 e 14.

A relação entre categorias abstratas e suas formas empíricas, geralmente mais complexas e frequentemente híbridas, é de grande relevância para o estudo do capitalismo contemporâneo. A distinção entre os casos nos quais os supermercados entregam os bens que venderam (situação em que o transporte é parte do capital comercial e, portanto, é improdutivo) e aqueles em que os supermercados subcontratam a entrega para uma firma de logística (capital produtivo que opera dentro da esfera do comércio) pode parecer de importância marginal a não ser para os diretamente interessados. Mas a expansão sem precedentes do crédito e dos serviços financeiros de forma mais geral é essencial no período atual do capitalismo, quando as finanças privadas se tornaram profundamente envolvidas no provimento de aposentadorias, moradia, saúde, educação e bem-estar. Tais desenvolvimentos materiais exigem que as categorias abstratas básicas da análise sejam claramente delineadas e relacionadas às formas em evolução do capitalismo (ver capítulo 14).

Questões e leituras adicionais

Embora o poder dos varejistas seja frequentemente destacado, especialmente em análises baseadas nas cadeias globais de valor e nas redes de produção, a literatura marxista sobre o capital comercial permanece limitada. A principal controvérsia na literatura se centra na questão do estatuto produtivo ou improdutivo da atividade comercial (ver capítulo 3). A teoria de Karl Marx sobre o capital comercial é desenvolvida em Marx (1981, parte 4). A interpretação desenvolvida neste capítulo se apoia em Ben Fine (1988) e Ben Fine e Ellen Leopold (1993, especialmente o cap. 20); ver também Duncan Foley (1986, cap. 7). Para algumas análises críticas sobre as cadeias globais de valor e das "guerras das lojas", ver Ben Fine (2013).

Capítulo XII

O CAPITAL PORTADOR DE JUROS E A TAXA DE JUROS

A análise de Marx do capital comercial, explicada no capítulo anterior, baseia-se no papel do dinheiro enquanto meio de troca, isto é, *dinheiro como dinheiro* (mesmo se ele for empregado na circulação de mercadorias produzidas para o lucro). Em contraste, a teoria do capital portador de juros (CPJ) de Marx baseia-se no papel do *dinheiro como capital*. Essa teoria diz respeito à oferta e à demanda de empréstimos entre os capitalistas monetários e os capitalistas industriais ou comerciais. Para Marx, o CPJ não é caracterizado pelo ato de tomar empréstimos junto a um banco ou mesmo pelo pagamento de juros; pelo contrário, ele emerge do modo como o dinheiro emprestado é usado. O CPJ surge quando o dinheiro emprestado é aplicado no circuito do capital industrial, isto é, quando esse dinheiro é adiantado não apenas como dinheiro, mas como capital monetário. A possibilidade de fazer uso do CPJ equivale, portanto, à possibilidade de ser um capitalista, e não meramente ser um tomador de empréstimos.

Como objeto da oferta e tomada de empréstimos, o capital monetário se torna um tipo específico de mercadoria. Ele tem o valor de uso da autoexpansão tanto para o tomador quanto para o emprestador. Este último embolsa os juros pagos pelo primeiro, enquanto o tomador de empréstimo captura o lucro do empreendimento, que é o que resta ao capital industrial após o pagamento dos juros derivados do mais-valor gerado pelo uso do capital monetário emprestado. Marx enfatiza que o preço dessa mercadoria específica (ou seja, a taxa de juros) é "irracional", pois não tem relação com as condições de produção. Pelo contrário, a taxa de juros depende inteiramente das relações concorrenciais entre os tomadores de empréstimo e os emprestadores. Essas questões serão exploradas abaixo.

O capital portador de juros

Dois elementos distinguem o CPJ dos capitais industrial e comercial. O primeiro diz respeito ao uso de empréstimos – isto é, das relações de crédito – para o adiantamento de capital monetário destinado à apropriação de mais-valor. Essas relações de crédito envolvem as duas frações mais importantes da classe capitalista: os capitalistas monetários, que controlam a oferta de CPJ, e os capitalistas industriais, que tomam CPJ emprestado para aplicá-lo como capital na produção e são responsáveis pelo funcionamento do capital no seu circuito industrial, supervisionando a produção e, frequentemente, também a venda. A essa divisão da classe capitalista corresponde uma divisão do mais-valor extraído. Como visto, enquanto os capitalistas monetários recebem juros, os capitalistas industriais se apropriam dos lucros remanescentes após o pagamento dos juros (a determinação da taxa de juros é discutida abaixo).

O segundo elemento distintivo do CPJ é que sua existência depende do capital monetário acumulado através da venda de capital-mercadoria, bem como das massas de dinheiro temporariamente ociosas pertencentes aos capitalistas comerciais e industriais, aos trabalhadores, ao Estado, e assim por diante. Essas massas e poupanças são recolhidas e centralizadas pelas instituições financeiras e transformadas em capital monetário potencial disponível ao capital industrial. O CPJ executa, assim, as funções de propriedade e controle do capital monetário em favor do capital como um todo. Note-se, no entanto, que o CPJ não se confunde com a propriedade jurídica dessas instituições, já que os depositantes têm sempre o direito de resgatar seus fundos (embora diferentes tipos de investimento financeiro possam incluir restrições temporárias à possibilidade de saques). Por outro lado, os bancos normalmente estendem crédito acima dos níveis de depósito, e tal crédito pode ser usado para iniciar novos circuitos do capital.

As diferenças entre capital industrial e CPJ são ilustradas por seus respectivos circuitos. Foi visto no capítulo 4 que o capital industrial é expresso pelo circuito *D – M – D'*, no qual o dinheiro intervém nos processos de produção e comercialização. Em contraste, o CPJ é representado por *D – D'*, um circuito no qual o dinheiro se separa desses processos.

O acesso ao CPJ como chave para a rápida acumulação é um tema constante nos três livros d'*O Capital*. O aumento do capital investido, possibilitado muitas vezes pelo crédito, é um dos meios mais importantes de acumulação competitiva. O processo de centralização, por exemplo, pode ser financiado por empréstimos bancários (como nas fusões e aquisições), e o aumento do capital viabilizado por esse processo desempenha um papel central na busca de ganhos de produtividade através da introdução de novas tecnologias. Por meio da análise detalhada dessas relações e processos, Marx explica a estrutura do sistema financeiro e sua conexão com o capital industrial.

O capital monetário e o sistema financeiro

A distinção de Marx entre capital industrial e CPJ não se aplica sempre de maneira imediata a análises empíricas, como vimos na discussão do capítulo anterior a respeito dos "híbridos" associados ao capital comercial. Isso se dá por duas razões.

Por um lado, as funções do *dinheiro como dinheiro* podem ser exercidas por vários instrumentos financeiros – um cartão de crédito, por exemplo, pode servir como meio de pagamento, mas não pode liquidar todas as contas em definitivo. Como resultado, existe uma complexa e intrincada miríade de instrumentos monetários que cumprem funções diferentes nas mais variadas circunstâncias, com o "dinheiro propriamente dito" – seja o dólar ou outro instrumento visto como "tão bom quanto o ouro" – ocupando a posição mais elevada. Pela mesma razão, as atividades associadas ao capital de comércio de dinheiro (CCD) – como a escrituração contábil, o cálculo e a salvaguarda de reservas monetárias ou o a administração do fluxo de caixa – podem ser exercidas de várias maneiras: internamente às próprias firmas (quando elas contratam pessoal especializado para especular com ativos de risco, movimentos na taxa de câmbio ou nos mercados de futuros e opções), por firmas especializadas externas ao sistema bancário ou por instituições financeiras. Em termos analíticos, mesmo se essas atividades fossem exercidas internamente pelo capital industrial, elas corresponderiam a uma função do capital comercial e atrairiam a taxa de lucro normal, muito embora não produzam mais-valor (ver capítulo 11).

Três distinções analíticas separam CCD e CPJ. Em primeiro lugar, enquanto o CCD adianta crédito em geral (por exemplo, crédito ao consumidor, incluindo cartões de crédito), o CPJ adianta capital monetário para que o tomador de empréstimo possa se apropriar de mais-valor. Em segundo, o CCD se serve do lucro industrial (da mesma forma que o capital comercial), enquanto o CPJ induz à divisão estrutural do mais-valor em juro e lucro do empreendimento. Em terceiro, o retorno sobre o CCD tende a ser igual à taxa geral de lucro. A taxa de retorno sobre o CPJ, por sua vez, não envolve tal tendência, pois ela emerge da divisão do mais-valor entre juro e lucro do empreendimento (ver abaixo). Apesar dessas diferenças, as funções do CCD nas sociedades contemporâneas (por exemplo, a emissão de cartões de crédito) são, normalmente, exercidas pelo sistema bancário; por isso, os recursos envolvidos se tornam parte do CPJ. Por esse motivo, é difícil classificar as firmas e os recursos que elas controlam como pertencentes a determinada categoria de capital industrial, comercial, de comércio de dinheiro ou portador de juros. Há considerável espaço para a existência de "híbridos" na prática.

O CPJ pode ser parte de várias operações direcionadas a produzir ou se apropriar de mais-valor, seja de maneira independente ou em associação com o capital industrial. O sistema de crédito estende os limites do processo de reprodução e acelera o desenvolvimento das forças produtivas e do mercado mundial. O retorno dessas operações pode ser determinado antecipadamente, ou pode variar de acordo com a sorte de investimentos específicos e da macroeconomia capitalista, como no caso das ações, derivativos ou capital de risco (*venture capital*). Independentemente das formas e condições assumidas por tais transações, o CPJ se agrega, por meio delas, à reprodução do capital como um todo, representando uma reivindicação sobre o mais-valor que ainda está por ser produzido. Essa reivindicação pode ser expressa por meio de transações que envolvem pagamentos ainda não executados ou pela transformação dos direitos sobre o mais-valor futuro em ativos negociáveis de várias ordens – de cobranças agressivas de dívidas até títulos públicos, passando por contratos futuros, obrigações garantidas de dívidas (*collateralised debt obligations*), entre outros. Por sua vez, esses mercados se entrelaçam, de modo que serviços financeiros são vendidos com carteiras de ativos, como os fundos de pensão e de investimento. Cada um desses instrumentos constitui uma reivindicação, em papel, sobre ativos que podem ou não incluir capital produtivo – o qual, por sua vez, pode ou não gerar ou se apropriar de mais-valor. É isso o que Marx chama de "capital fictício": reivindicações em papel sobre o mais-valor que pode ou não ser realizado – as quais, é importante enfatizar, não são necessariamente fraudulentas.

Nesse sentido, não é de se surpreender que o setor financeiro seja capaz de financiar a sobreprodução e gerar bolhas especulativas e crises gigantescas. Tampouco é de se surpreender que a fraude esteja constantemente presente. A distinção entre finanças e indústria e o equilíbrio cambiante entre elas são dramaticamente ilustrados pelos desenvolvimentos das finanças globais e dos sistemas financeiros nacionais nos últimos 40 anos. O inchado e generosamente recompensado sistema financeiro internacional tem se beneficiado às custas da acumulação real e, ao longo das últimas décadas, tem experimentado severa instabilidade e sofrido crises onerosas. No livro III d' *O Capital*, Marx investiga as circunstâncias nas quais a acumulação de CPJ e os títulos e mercados construídos sobre ela podem ser validados pela acumulação de capital real. Ele conclui que não se pode oferecer nenhuma resposta *a priori* a esse problema, pois a produção e a apropriação de mais-valor futuro não estão garantidas de antemão (ver capítulo 7). Por exemplo, o dono de CPJ pode emprestar tanto a um industrial corrupto, incompetente ou enfraquecido pela competição doméstica ou estrangeira quanto a um consumidor que é ou se torne incapaz – ou que se recuse a fazê-lo. Em qualquer caso, o circuito do CPJ pode ser interrompido, com implicações potencialmente severas para a reprodução do capital portador de juros e do capital industrial.

Em suma, a relação entre capital industrial e CPJ se baseia em um entrelaçamento dos circuitos do capital cujos resultados, em termos de acumulação real, não estão predeterminados. Por essa razão, nem o funcionamento do sistema financeiro, nem sua interação com a acumulação real estão sujeitos às formas de controle sugeridas pela economia ortodoxa, tal qual a fixação do estoque monetário ou o ajustamento da oferta de dinheiro (ou de seu custo) ao nível de atividade econômica. A emissão de capital fictício, por exemplo, pode corresponder a uma acumulação real de capital ancorada em investimentos bem sucedidos, mas também pode refletir a securitização de um fluxo de renda sem relação alguma com a acumulação enquanto tal – como no caso dos pagamentos de hipoteca, que se transformam em objeto de especulação por meio de derivativos (o que, como se sabe, aconteceu com os empréstimos *subprime* nos EUA).

Isso não quer dizer que a regulação privada ou pública do sistema financeiro (o que inclui a política monetária) não possa ter efeitos. Contudo, a ideia de que o capital fictício poderia ser totalmente alinhado com a acumulação real pela regulação é equivocada, pois, ainda que o capital fictício tenha se tornado cada vez mais necessário para a acumulação real, ele não pode garanti-la. Da mesma maneira, a natureza e a estrutura do sistema financeiro e as modalidades de suas interações com a acumulação real não podem ser determinadas por análises abstratas; pois elas coevoluem continuamente, estabelecendo estruturas particulares de atividade financeira e industrial e gerando resultados específicos durante o curso das crises.

O juro como categoria econômica

Com base na análise acima, é possível identificar as principais características da teoria de Marx da finança e do juro. Marx divide o capital que opera *dentro* da troca em capital comercial e capital portador de juros. O primeiro envolve tipicamente o comércio em sentido estrito, como o varejo e o atacado. Além de se situar no inteiro da esfera da troca, ele é logicamente definido por não produzir (mais) valor, embora, da mesma forma que o capital industrial, esteja sujeito ao influxo e à saída de capitais concorrentes. Por conseguinte, o capital comercial está sujeito à tendência à equalização das taxas de lucro. O capital comercial também envolve uma série de créditos não-comerciais e outras relações e funções monetárias, os quais, por conveniência, chamaremos (seguindo Marx) de capital de comércio de dinheiro. O CCD é uma categoria geral, definida pela necessidade da circulação monetária para a reprodução capitalista. As tarefas correspondentes de manejo de reservas podem ser atribuídas a capitalistas especializados ou ficar retidas em firmas individuais.

Por sua vez, o CPJ envolve a tomada e o adiantamento de empréstimo de capital monetário para a produção de mais-valor, ou para a sua apropriação por meio do capital comercial. O CPJ potencialmente recebe juros por essa operação, o que leva a uma divisão do mais-valor entre o juro e o lucro do empreendimento. Este é distribuído aos capitais industriais, que estão sujeitos à concorrência e, portanto, também à equalização das taxas de lucro. A operação do CPJ mostra que a acumulação de capital é mediada pelo acesso diferenciado de capitalistas concorrentes ao capital monetário.

A divisão entre lucro do empreendimento e juro não é predeterminada pelo sistema de valor. Pelo contrário, ela é um resultado do processo de acumulação, dependendo tanto da quantidade de mais-valor que é realizada (já que o capital monetário adiantado é precondição, não garantia da lucratividade) quanto do modo como esse mais-valor é dividido entre CPJ, capital industrial e capital comercial. Essa divisão não tem relação exata com a taxa de juros. Não obstante, diferenças entre as taxas de juros aplicadas à captação e ao empréstimo de dinheiro, tarifas bancárias e outros encargos são mecanismos importantes através dos quais o CPJ se apropria de parte do mais-valor criado.

Isso não significa que a divisão entre juro e lucro do empreendimento não esteja sujeita a forças e determinações sistemáticas. Contudo, a capacidade de apropriação de mais-valor na forma do juro é derivada do papel do CPJ como impulsionador da concorrência no processo de acumulação do capital, no qual o CPJ está diferentemente situado em relação ao capital industrial e comercial. Por exemplo, embora um banco possa se dispor a emprestar a um capitalista industrial para ele competir com outro, não é provável que empreste a uma instituição financeira rival. Evidentemente, isso não quer dizer que não há concorrência no setor financeiro ou que os empréstimos interbancários inexistem, mas apenas que tais relações concorrenciais são de natureza distinta das observadas no resto da economia. É precisamente por isso que o juro auferido pelo CPJ *não* é eliminado pela concorrência ou reduzido à taxa de lucro normal sobre o capital próprio investido pelos financistas. Ainda que este seja um exemplo extremo, pense em um banco que tome e empreste dinheiro (a uma taxa superior) enquanto usa o mínimo de capital próprio. Sua taxa de retorno sobre seu próprio capital seria extremamente alta!

O que é crucial para a teoria de Marx é a separação simples e abstrata entre CPJ e outras formas de capital, bem como a apropriação dos juros derivados do mais-valor pelo CPJ. Mas o papel dos pagamentos de juros e dos mercados monetários na acumulação e na circulação do capital como um todo é muito mais complexo e embaralhado na prática: aqui, os pagamentos de juros, dividendos e outras formas de rendimento constituem os mecanismos pelos quais os lucros são equalizados entre certos capitais (industriais e comerciais) *ou* pelos quais o mais-valor é apropriado pelo CPJ. Isso se torna ainda mais complexo à medida que o próprio CPJ se insere em outros tipos de atividades comerciais sob uma forma híbrida (de maneira análoga aos híbridos gerados nos processos que envolvem os capitais industrial e comercial).

Essas questões não são de interesse puramente acadêmico. A atual era da financeirização é caracterizada justamente por uma expansão desproporcional do *capital na esfera da troca* não apenas através da proliferação de derivativos financeiros, mas também pela participação extensiva da finança em cada vez mais áreas da reprodução econômica e social – fenômeno do qual o desenvolvimento das finanças pessoais (associado às hipotecas, pensões e seguros de saúde) é um dos principais exemplos.

A aplicação do método de Marx e das categorias apresentadas acima à análise desses processos sugere a existência de um crescente deslocamento das atividades capitalistas ao longo do eixo que contém os capitais produtivo, comercial, de comércio de dinheiro e portador de juros, bem como uma expansão das formas híbridas constituídas por essas categorias. Noutras palavras, uma gama crescente de atividades tem caído sob os auspícios do CPJ, entre as quais o financiamento de moradias. Como dramaticamente ilustrado pela ascensão e colapso das hipotecas *subprime* nos Estados Unidos no início dos anos 2000, a inserção do CPJ nesse ramo de atividade se mostra não tanto na concessão de hipotecas aos proprietários das casas, mas nas vendas subsequentes das obrigações de pagamentos de tais hipotecas como derivativos financeiros (i.e. capital fictício). Mas não vamos antecipar a discussão desenvolvida em nosso capítulo final.

A habilidade de Marx em construir uma teoria do juro como uma forma de rendimento distinta do lucro é um traço característico de sua análise. Na economia política clássica, por exemplo, a categoria do juro é introduzida com pouca ou nenhuma explicação, e a taxa de juros oscila em torno de uma taxa "natural" arbitrária para a qual não há quaisquer determinantes além da oferta e da demanda de dinheiro. Do mesmo modo, na economia neoclássica, principalmente na teoria fisheriana do consumo e da produção intertemporais, as taxas de juros e lucro são conceitualmente idênticas e, em condições de equilíbrio, quantitativamente iguais. Mesmo na economia keynesiana (e para o próprio Keynes), que ressalta o papel específico dos fatores monetários, a taxa de lucro – representada pela eficiência marginal do capital – é igual à taxa de juros. Embora o keynesianismo sustente que as expectativas de curto-prazo possam afastar a taxa de juros do seu valor de equilíbrio, ele mantém a ideia de que existe uma taxa de juros natural ou de equilíbrio de pleno emprego. Essa divergência significativa em relação à teoria de Marx está intimamente ligada ao fracasso da teoria keynesiana em estabelecer uma distinção entre a demanda (e, portanto, o crédito) relacionada à acumulação e a demanda relacionada ao consumo, exceto no que se refere ao impacto dos multiplicadores sobre a demanda efetiva.

Marx, pelo contrário, não apenas define o juro de maneira distinta, mas também estabelece seu lugar na estrutura analítica do seu pensamento econômico, derivando o juro das relações concorrenciais entre duas frações distintas da classe capitalista. Essa compreensão do juro resulta de referências às estruturas e tendências abstratas que Marx identificou na economia capitalista, como, por exemplo, a tendência à equalização da taxa de lucro entre os capitais industrial e de comércio de dinheiro, que estão sujeitos ao processo de concorrência; a tendência à conversão do sistema de crédito em mecanismo-chave da concorrência e alavanca da acumulação; a tendência do dinheiro como capital a se distanciar das demais mercadorias; a tendência à centralização de reservas ociosas no sistema bancário; e assim por diante. Essas considerações abstratas podem ser empregadas por estudos marxistas históricos e empíricos do CPJ e das estruturas financeiras específicas em que ele está inserido. Marx desenvolveu uma série de considerações sobre essas questões, especialmente em suas reflexões sobre o sistema financeiro britânico no livro III d'*O Capital*. Infelizmente, em razão do escopo desse trabalho, esse complexo material não pode ser analisado aqui.

Questões e leituras adicionais

Apesar de sua enorme importância para a compreensão do capitalismo contemporâneo, os estudos marxistas do dinheiro e das finanças têm progredido de modo relativamente lento. Geralmente, pouco tem sido dito sobre as questões fundamentais da natureza da finança e da relação entre capital financeiro e industrial (salvo referências à crescente proeminência do primeiro no período neoliberal).

Os marxistas têm frequentemente debatido se, para Marx, o dinheiro-mercadoria é uma abstração, e se essa é uma abstração legítima ou se – de modo mais forte – o dinheiro, no capitalismo, precisa necessariamente ser uma mercadoria. De nossa perspectiva, a teoria do dinheiro de Marx demonstra como a materialidade do dinheiro é progressivamente deslocada por símbolos, especialmente o papel-moeda e o dinheiro de crédito (ver, por exemplo, Marx 1981, 1987). Por exemplo, mais importante do que a função residual do ouro enquanto moeda mundial para fins de reserva são as relações monetárias vinculadas à acumulação e como elas evoluem temporalmente (ver capítulo 14).

Sobre a questão correlata (mas distinta) do papel do dinheiro no desenvolvimento e apresentação da teoria do valor de Marx, ver o debate entre Jim Kincaid (2007, 2008, 2009) e Ben Fine e Alfredo Saad Filho (2008, 2009).

A teoria de Marx do CPJ e do juro é desenvolvida em Marx (1981 e, especialmente, 1981, pt. 5). Este capítulo se baseia em Ben Fine (1985-6). Diferentes aspectos da teoria do dinheiro e do crédito de Marx são explicados por Suzanne de Brunhoff (1976 e 2003), Duncan Foley (1986, cap. 7), David Harvey (1999, caps. 9-10), Rudolf Hilferding (1981), Makoto Itoh e Costas Lapavitsas (1999), Costas Lapavitsas (2000, 2000, 2003, 2003, 2013), Costas Lapavitsas e Alfredo Saad Filho (2000), Roman Rosdolsky (1977, cap. 27) e John Weeks (2010, cap.5).

Capítulo XIII

A TEORIA DE MARX DA RENDA DA TERRA

A teoria de Marx da renda da terra contém dois componentes importantes e intimamente conectados: a teoria da *renda diferencial* e a teoria da *renda absoluta*. Para Marx, a propriedade privada da terra impõe obstáculos à acumulação de capital, porque os proprietários de terra capturam parte do mais-valor produzido na economia. De certa maneira, tal afirmação é compartilhada pela teoria ortodoxa da renda, seja a ricardiana ou a neoclássica – embora Ricardo tenha tentado distinguir renda e lucro, enquanto a teoria neoclássica confunde essas duas categorias.

Para a teoria neoclássica, os produtores agrícolas pagam rendas em função tanto da propriedade privada quanto de limitações naturais ou técnicas (pense-se, por exemplo, na escassez de terras, tanto no que se refere à oferta de terra em geral quanto à disponibilidade limitada de terras de melhor qualidade ou localização). Em formulações mais sofisticadas, a demanda por diferentes produtos agrícolas também pode ser levada em consideração. Em ambos os casos, a renda serve, em parte, para alocar recursos de maneira "eficiente" em diferentes propriedades, igualando as taxas de retorno na economia. A concepção da economia ortodoxa sugere, por um lado, que a propriedade da terra determina apenas quem irá receber a renda, e não o seu nível; e, por outro, que o nível da renda é determinado pelas condições técnicas de produção (e a demanda). Tais referências podem ser usadas para iluminar os aspectos singulares da abordagem de Marx.

Marx parte das condições sociais sob as quais parte do mais-valor é apropriado pelos proprietários de terra na forma de renda. Noutras palavras, a teoria da renda é derivada da relação entre produção capitalista e propriedade fundiária, que é historicamente específica, e não determinada tecnicamente. Assim, não faz sentido falar em teoria geral da renda, ou esperar que as conclusões relativas a determinadas circunstâncias possam ser generalizadas. Segue-se que a renda não pode ser analisada, por exemplo, como um efeito geral da imposição de obstáculos à produção capitalista. Do contrário, qualquer barreira ao investimento capitalista poderia ser descrita como renda – como sugere a noção marshalliana de quase-renda de curto prazo, que surge quando um capitalista lucra temporariamente usando um método superior de produção. Neste caso, o acesso privilegiado às finanças, aos mercados, a favores burocráticos, entre outros, também poderia ser abarcado pela teoria da renda, como propõe a teoria neoclássica do rentismo, que elimina o espaço para uma teoria específica do papel social da propriedade fundiária. Em suma, a renda precisa ser examinada à luz das condições históricas em que ela existe, sobretudo porque o capitalismo tende a varrer os obstáculos aos seus imperativos de acumulação. Como e por que a propriedade fundiária limita a acumulação de capital ao longo do tempo e extrai parte do mais-valor gerado pelo capital industrial?

Trata-se do capítulo mais complexo deste livro. Ele foi incluído aqui por duas razões. Primeiro, porque ilustra uma importante aplicação do método de Marx, e enfrenta uma questão que, supostamente, contradiz sua teoria do valor. Segundo, porque a questão da renda continua fundamental para setores tão diversos como o petróleo, a mineração, o desenvolvimento agrícola, a regeneração urbana e a habitação.

Renda diferencial 1

A teoria de Marx da renda diferencial (RD) pode ser compreendida apenas ao se examinar como a propriedade fundiária intervém na operação do capital na agricultura. Como a concorrência permite a apropriação do mais-valor na forma de renda, e quais são as implicações disso? A análise deste problema requer uma breve digressão para entender como os capitais competem uns com os outros dentro de cada setor na ausência da propriedade fundiária.

Foi mostrado nos capítulos 6 e 8 que capitais no mesmo setor concorrem entre si sobretudo por meio do aumento da produtividade promovido por elevações na composição orgânica do capital (COC). Isso não ocorre de maneira uniforme em todo o setor. Haverá, portanto, ao menos tendencialmente, significativas diferenças produtivas entre esses capitais. Marx afirma que os valores das mercadorias são formados a partir dessas produtividades individuais diferentes. É importante notar que ele não sustenta que os valores devem ser iguais ao tempo de trabalho médio do setor (mesmo supondo que os trabalhadores são idênticos ao longo da economia). Por exemplo, se a técnica mais ou menos favorável for suficientemente relevante em comparação com a média, tal técnica – ao invés da média aritmética – regulará o valor de mercado do setor. Em ambos os casos, o *sobrelucro* será embolsado pelos capitais que produzem mais valor do que a média do setor.

Marx inicia sua análise da renda diferencial dividindo-a em dois tipos: a renda diferencial um (RD1) e a renda diferencial dois (RD2). A RD1 enfatiza a existência de sobrelucro na agricultura decorrente de diferenças na fertilidade do solo (ignorando, por conveniência, o transporte e demais custos comerciais). Isso geralmente é associado à margem extensiva de cultivo analisada por Ricardo. Em suma, o capital não pode fluir uniformemente para terras de igual fertilidade, pois tais terras não se encontram naturalmente disponíveis. Ao fluir para terras melhores, os capitais esbarram no obstáculo da propriedade fundiária e são forçados pelos proprietários a abrir mão de parte do seu sobrelucro, concedido ao proprietário fundiário sob a forma de renda.

O resultado é não só a criação de renda, mas também uma distorção na formação do valor de mercado na agricultura. Se, na indústria, os piores métodos de produção predominam apenas onde são excepcionalmente relevantes e os capitais que empregam métodos mais produtivos capturam lucros extras, na agricultura, por sua vez, os piores métodos *podem* prevalecer em razão da propriedade fundiária e os capitais investidos em terras melhores podem ter que ceder seu sobrelucro aos proprietários fundiários sob a forma de RD1. Para Ricardo, isso se dá independentemente da propriedade da terra (que, para ele, apenas determina quem recebe rendas definidas pela fertilidade do solo). Para Marx, pelo contrário, a renda depende da capacidade dos proprietários de terra de se apropriar do excedente diferencial associado a terras de qualidades distintas.

A existência de lucratividades diferentes na agricultura é condição necessária, mas não suficiente para a existência da RD1. Esses lucros excedentes também precisam ser permanentes e apropriados por proprietários de terra suficientemente poderosos, caso contrário (como na quase-renda de Marshall) a RD1 não apenas existiria em todos os setores da economia, mas também seria corroída, como os lucros excedentes na indústria (que tendem a ser equalizados pela concorrência em razão dos movimentos do capital e da difusão das inovações tecnológicas dentro de cada setor).

Deve-se notar, portanto, que condições naturais distintas não são a fonte da RD1. Elas podem contribuir para a existência de diferenças produtivas, mas não criam a categoria do sobrelucro, nem a da renda diferencial. A RD1, ao contrário, depende da utilização das condições naturais (e diferenças produtivas) sob as relações de produção capitalistas, bem como da intervenção da propriedade fundiária. Em outras palavras, a renda existe não porque o sobrelucro existe, mas porque é apropriada pelo proprietário da terra ao invés do capitalista.

Renda Diferencial 2

A teoria de Marx da RD1 baseia-se na ideia de que há aplicações *iguais* de capital em terras *diferentes*, caso no qual o sobrelucro (e a renda) emerge das diferenças de fertilidade entre os solos. A renda diferencial do segundo tipo (RD2) também diz respeito à competição dentro do setor agrícola. Todavia, a RD2 se deve à apropriação dos lucros excedentes criados por diferenças produtivas temporárias resultantes da aplicação de capitais *desiguais* a terras com a *mesma* fertilidade. Nesse caso, os proprietários de terra se beneficiam do progresso social ao introduzirem inovações técnicas e organizarem a produção em larga escala, o que permite a eles se apropriar de uma parte do mais-valor adicionado.

Deve-se ressaltar, porém, que os lucros excedentes gerados na agricultura, que formam a base potencial da RD2, podem não ser embolsados pelos proprietários fundiários. E mais: tais lucros tendem a se exaurir à medida que os investimentos de capital inicialmente anormais se tornem normais entre as várias empresas do setor. Independentemente dessas restrições, a RD2 reduz o incentivo para que fazendeiros capitalistas invistam intensivamente (mais capital e melhor tecnologia na mesma terra) ao invés de extensivamente (mesma tecnologia aplicada sobre mais terra), o que mitiga o desenvolvimento tecnológico da agricultura. Por isso mesmo, Marx sustenta que a agricultura tende a apresentar um ritmo mais lento de progresso técnico do que a indústria. Esta é uma das conclusões mais importantes a ser tirada da teoria da RD2 de Marx: sua preocupação dinâmica com obstáculos ao desenvolvimento da acumulação de capital, ao invés da formulação estática da distribuição do mais-valor na forma de renda.

Se a RD1 e RD2 fossem independentes entre si, a análise da RD, como mera soma das duas, estaria completa. Nesse caso, a RD1 teria o efeito de equalizar os lucros entre as terras de qualidades distintas nas quais foram investidas quantidades iguais de capital, e a RD2 poderia ser calculada a partir das diferenças de lucratividade resultantes do emprego de capitais desiguais. De modo alternativo, a RD2 equalizaria os efeitos de diferentes aplicações de capital, e a RD1 poderia ser calculada a partir dos graus variados de fertilidade do solo. Esse procedimento, porém, é inválido. No livro III d'*O Capital*, Marx não examina a RD2 na forma pura de aplicações desiguais de capital a terras iguais, mas discute a RD2 na em conjunto com a RD1 – isto é, na presença de terras de qualidade desiguais. Ele busca analisar a determinação quantitativa da RD2 apenas uma vez que a base qualitativa para sua existência já tenha sido estabelecida.

Para fins didáticos, a RD1 e RD2 foram determinadas neste capítulo com base em certas abstrações relativas às distribuições de capitais e fertilidades distintas do solo. Uma análise mais complexa exigiria a consideração da coexistência de terras diferentes e capitais desiguais, bem como de questões sobre a qualidade e a localização diferenciadas da produção e da venda, que podem mudar com o passar do tempo. Pense no caso da RD1: não é simples determinar, na presença de aplicações desiguais de capital (RD2), qual das terras é a pior, uma vez que certas terras podem ser piores para um nível ou tipo de investimento (por exemplo, tratores), mas não para outros (fertilizantes). No que se refere à RD2, há o problema de se determinar o nível normal de investimento na presença de terras diferentes (RD1). Certos capitais podem ser normais para alguns tipos de terra (por exemplo, as que requerem a construção de canais de irrigação), enquanto outros capitais são normais para outras terras (as localizadas nas encostas de montanhas).

No que se refere à RD2, há ainda uma dificuldade adicional, pois a produtividade decrescente dos investimentos adicionais não permitiria sobrelucro para capitais excepcionalmente grandes, salvo se o valor de mercado do produto agrícola aumentasse. Esse problema levanta a seguinte questão: o valor de mercado deveria ser determinado pela produtividade individual de algum lote de terra, ou ele pode ser determinado por alguma parte do capital investido na respectiva terra? Noutras palavras: o tamanho do "capital normal" é sempre o capital total aplicado a alguma terra, ou ele pode ser uma parte desse capital? Fica claro, assim, que mesmo o termo "capital normal" pode ser inapropriado, pois o investimento de capital em uma terra particular é sempre específico, e não geral.

Esses problemas dizem respeito à determinação simultânea, na agricultura, da *pior terra* e do *capital normal*. Na presença da propriedade fundiária, ambos influenciam a formação de valor: a interação dos dois elementos dá origem ao valor de mercado dos produtos agrícolas, com base nos quais a renda diferencial pode ser calculada. Esse problema não aparece para o capital industrial, pois a determinação do capital normal coincide com a determinação do valor. A mesma afirmação é verdadeira para a RD1 e RD2, se consideradas isoladamente. Para a RD1 em sua forma pura (capitais iguais), a determinação da pior terra equivale à determinação do valor; já para a RD2 em sua forma pura (terras iguais), a determinação do capital normal orienta a determinação do valor.

A questão da determinação conjunta do capital normal e da terra normal não pode ser resolvida abstratamente. Do mesmo modo, a RD1 e a RD2 não podem ser determinadas apenas de maneira teórica. Como visto, ambas dependem de condições históricas contingentes, isto é, de como a agricultura se desenvolveu no passado e se relacionou com a acumulação de capital no que se refere ao acesso dos capitalistas à terra – algo que pode ser afetado por condições jurídicas, financeiras, e assim por diante. Ademais, mudanças nas colheitas e tecnologias modificam tanto a demanda por terras quanto as definições de melhor ou pior terra. Em suma, a teoria da RD não resulta numa análise determinada da renda, mas sim revela alguns dos processos pelos quais a renda pode ser examinada concretamente.

Renda absoluta

Se a chave para a formação da renda diferencial é a determinação do valor e a presença de sobrelucro na agricultura, a base para a formação da renda absoluta (RA) é a transformação dos valores de mercado em preços de produção (ver capítulo 10). Nesse sentido, a RA se distingue da RD. Ambas dizem respeito às barreiras aos investimentos de capital erguidas pela propriedade fundiária; ambas geram apropriação do sobrelucro na forma de renda. Contudo, RD e RA estão localizadas em níveis diferentes de complexidade. Suas fontes são também distintas: enquanto a RD provém de diferenças de produtividade na agricultura, a RA emerge das diferentes taxas de modificação da produtividade na agricultura em relação aos outros setores da economia que resultam dos obstáculos à acumulação impostos pela propriedade fundiária.

Em termos formais, a teoria da RA de Marx pode ser resumida assim: em razão das barreiras impostas pela propriedade fundiária, explicadas acima (na discussão acerca da RD2), a agricultura tende a ter uma COC mais baixa do que a indústria. Por conseguinte, emprega-se na agricultura uma proporção maior de trabalho vivo, do que se infere que esse setor produz mais-valor adicional. Na ausência da renda, seu preço de produção seria inferior ao seu valor.

Essa é, todavia, uma consideração inteiramente estática. Em termos dinâmicos (os detalhes algébricos são apresentados abaixo), a formação dos preços de produção depende da concorrência e da possibilidade de fluxos de capital entre setores. Contudo, os fluxos para a agricultura e a formação de seus preços de produção são obstruídos pela propriedade fundiária (não se pode simplesmente investir no setor, pois a renda deve ser paga como condição de acesso à terra). Em razão desse obstáculo, os proprietários de terra podem cobrar uma RA pelos fluxos de capital para novas terras (de maneira alternativa, eles podem cobrar a RD2 por fluxos destinados a terras que já estejam em uso e que, subsequentemente, tornem-se mais intensivas em capital). Essa renda pode elevar o preço dos produtos agrícolas acima do seu preço de produção. No limite, esses produtos podem ser vendidos pelo próprio valor, com a diferença entre seu preço de venda e seu preço de produção sendo capturada como RA. Sob essas circunstâncias, a RA desapareceria diante da combinação de duas condições: (a) se o ritmo do desenvolvimento da agricultura se igualasse ao da indústria, e a COC da agricultura fosse igual (ou superior) à média social; e (b) se todas as terras fossem cultivadas, uma vez que a RA depende do movimento de capitais para novas terras.

Na literatura especializada, existe uma interpretação diferente da teoria da RA de Marx, segundo a qual os proprietários de terra capturam renda porque podem *evitar* o fluxo de capitais para a agricultura. Essa afirmação diz respeito, todavia, apenas à RA como renda de monopólio. Considerações similares seriam aplicáveis na ausência da propriedade fundiária – por exemplo, se houvesse uma patente essencial envolvida no processo de produção. Essa interpretação é insuficiente por duas razões. Em primeiro lugar, o argumento se baseia em uma teoria estática da distribuição do mais-valor. Em segundo, as condições estabelecidas por Marx para a existência da RA seriam arbitrárias, visto que as diferenças entre as COCs dos setores industriais não levam à formação de RA. Ademais, mesmo na agricultura, não haveria razão para a RA se limitar à diferença entre valor e preço de produção: se a RA fosse apenas renda de monopólio, o preço de mercado dos produtos agrícolas poderia ultrapassar seu valor conforme a capacidade dos proprietários fundiários de impor tais preços.

Contudo, a discussão de Marx sobre as condições sob as quais a RA desapareceria sugere que o que ele tem em mente não é uma teoria estática. O que importa, como explicado acima, é o ritmo do desenvolvimento da agricultura em relação à indústria, e o movimento potencial de capital para novas terras durante o processo de acumulação. Essas condições, é claro, podem ser interpretadas estaticamente (por exemplo, caso se suponha que todas as terras estão arrendadas e todos os setores se encontram no mesmo nível de desenvolvimento); mas, em direção oposta, os outros conceitos utilizados, em particular a COC, precisam ser interpretados de acordo com o caráter dinâmico da teoria da acumulação de Marx. Ao realizar essa tarefa, mostraremos abaixo que a teoria da RA de Marx é plenamente consistente com sua análise da acumulação de capital.

Suponha-se, inicialmente, que a COC ao longo da economia seja dada por c / v, e que pode ser aumentada em qualquer setor (incluindo o agrícola) por um fator de $b > 1$, de forma que uma dada quantidade de trabalho converteria o capital constante bc em bens finais, ao invés de c. Para a agricultura, antes desse aumento na COC, a diferença entre valor e preço de produção é

$$d = [c + v + m] - [(c + v)(1 + l)] = m - (c + v)\, l$$

onde l é a taxa de lucro. Em um contexto de mudança técnica em toda a economia, salvo na agricultura, a taxa geral de lucro, l, muda de $m/(c + v)$ para $m/(bc + v)$. Na agricultura, na medida em que o cultivo intensivo está bloqueado, c permanece a quantidade de valor trabalhado por v, ao invés de aumentar para bc como para outros setores. Portanto, a diferença entre valor e preço de produção na agricultura se converte, a partir da expressão acima, em d e na nova taxa de lucro, l:

$$d = m - \frac{(c + v)m}{bc + v}$$

$$= \frac{(bc + v)m - (c + v)m}{bc + v}$$

$$= \frac{(b - 1)cm}{bc + v}$$

$$= (b - 1)cl$$

A diferença, d, é igual à taxa de lucro, l, multiplicada pelo capital constante adicional colocado em movimento ou, alternativamente, igual aos lucros excedentes que surgem de uma COC mais alta. Esses lucros excedentes poderiam ser capturados como RD2 se a COC tivesse aumentado nas terras atualmente em uso, enquanto excedente para os proprietários de terra, ao invés de ser capturado pelos capitalistas a exemplo de outros setores.

Em suma, a RA está limitada pelo custo máximo para o cultivo extensivo dentro de novas terras, na medida do permitido pela possibilidade alternativa de investimentos no cultivo intensivo. Isso corresponde à diferença entre valor e preço de produção na agricultura. Em outras palavras, tem-se uma escolha entre investir intensivamente em terras existentes, renunciando parte (possivelmente todo) do lucro excedente para os proprietários de terra; ou investir em novas terras, enfrentando um custo da mesma magnitude potencial. A questão fundamental é menos o fato de que o preço de produção tende a exceder seu valor na agricultura (ou, de maneira mais geral, onde haja terra envolvida); e muito mais o fato de que a presença da propriedade fundiária pode impedir a acumulação do capital (e certamente pode influenciar sua natureza), por meio da formação potencial de RA como um efeito em si mesmo limitado aos lucros extras que poderiam ser auferidos, caso o capital estivesse investido intensivamente nas terras existentes em uso.

Com isso, buscou-se demonstrar que a teoria da renda de Marx ampliou sua teoria da acumulação do capital para examinar a barreira da propriedade fundiária. Para ele, a renda é a forma econômica das relações de classe na agricultura, e só pode ser compreendida pela investigação da relação entre capital e terra. Daqui se resulta uma série de conceitos. A renda em si depende da produção e da apropriação da mais-valia por meio da intervenção da propriedade fundiária. A RD surge do sobrelucro formado pela concorrência dentro da agricultura. A RD1 origina-se da diferença de produtividade decorrente de condições "naturais", o que, por sua vez, permite que capitais iguais obtenham taxas de lucro diferentes na agricultura. A RD2 provém dos diferentes retornos de aplicações desiguais de capital (capitais de tamanhos distintos) no setor agrícola. Na indústria, os lucros excedentes são destinados ao capital mais produtivo. Na agricultura, ao contrário, eles podem ser apropriados como renda. Finalmente, a AR provém da diferença entre valor e preço da produção na agricultura, devido à sua COC abaixo da média, nas situações em que a propriedade imobiliária obstrui a acumulação. Onde os capitalistas são donos da própria terra ou onde eles são encorajados ou mesmo facilitados a acumular pelos proprietários de terra, tais obstáculos podem não prosperar. De maneira ainda mais ampla, sempre que surge um excedente na presença da propriedade fundiária (seja em razão de maior fertilidade ou cultivo intensivo, melhor localização etc.), ele oferece o potencial para renda, que pode ser apropriada por proprietários de terra ou outros agentes. Isso não é simplesmente uma questão distributiva, mas tem o efeito de obstruir potencialmente o ritmo e as formas da acumulação, ou até acelerá-la, caso seja o capitalista aquele capaz de se apropriar desse excedente como proprietário de terra.

A teoria da renda de Marx se apoia em suas teorias da produção, acumulação e formação de valor, e na teoria dos preços de produção. Como tal, provavelmente é o desenvolvimento mais complexo de sua compreensão da economia capitalista. Ao mesmo tempo, revela seus próprios limites ao mostrar de que maneira as análises posteriores dependem de como a propriedade fundiária se desenvolveu e como ela interage com a expansão capitalista.

Questões e leituras adicionais

Os aspectos mais controversos da teoria da renda de Marx referem-se às suas diferenças em relação a Ricardo, quanto ao entendimento da renda diferencial, à identidade ou não entre renda absoluta e renda de monopólio, e à existência ou não de uma COC menor na agricultura (que se associa ao problema da limitação ou não da RA à diferença entre valor e preço). Assim, a importância da teoria de Marx está menos centrada em fornecer uma teoria quantitativa da renda e do preço, e mais focalizada nas formas historicamente específicas nas quais a propriedade fundiária influencia o ritmo, a frequência e a direção da acumulação do capital – seja no contexto da agricultura, do petróleo ou da regeneração de áreas urbanas.

A teoria da renda de Marx é desenvolvida especialmente em Marx (1969, caps. 1-14, 1981, parte 6). O presente capítulo se apoia em Ben Fine (1982, caps. 4, 7, 1986, 1990). Para abordagens similares, ver Cyrus

Bina (1989), David Harvey (1999, cap. 11) e Isaak I. Rubin (1979, cap. 29); ver também o debate em *Science & Society* (70(3), 2006). Em sua tese de doutorado, Mary Robertson (2014) vinculou o conceito de renda de monopólio (urbano) à noção mais comumente usada (e não restrita ao marxismo) de ganhos de desenvolvimento. Na teoria de Marx das rendas diferenciais e absolutas, essas rendas derivam da produtividade vinculada a terras *particulares* como uma condição de acesso dos capitalistas a essas terras. Ao fazer isso, Marx abstrai a questão mais geral da "produtividade" (diferenciada) ligada às terras *individuais* à medida que a acumulação avança – pense, por exemplo, nos benefícios advindos da aglomeração urbana, ou na construção de uma nova estação de trem. Esses ganhos podem ser interpretados como rendas de monopólio, e eles são importantes, por exemplo, no contexto da financeirização, uma vez que rendas podem derivar da inflação residencial em um contexto de *boom* especulativo. De maneira mais geral, tais rendas de monopólio são percebidas como consequências da apropriação do valor (e não apenas do mais-valor), pois as condições da reprodução econômica e social (e não apenas da produção) evoluem, e são contestadas ao longo do tempo.

Capítulo XIV

FINANCEIRIZAÇÃO, NEOLIBERALISMO E CRISE

O objetivo primordial deste livro é fornecer um panorama relativamente didático da economia política de Marx, especialmente como apresentada nos três livros d'*O Capital*. O presente capítulo busca ampliar esse escopo e empregar a abordagem marxista à análise da crise global iniciada em 2007. Tal crise se apresenta como decorrente de uma grave disfunção centrada no sistema financeiro, com repercussões devastadoras em todos os aspectos da reprodução econômica e social. Contudo, considerando os tópicos examinados nos capítulos anteriores e outras questões relativas ao poder e o conflito acerca, por exemplo, das problemáticas da guerra, do gênero, da raça, da pobreza e do desenvolvimento, é importante ter em mente que essa crise não representa uma ruptura profunda com o passado, nem está confinada a fatores estritamente econômicos. Ao mesmo tempo, as crises tendem a se acentuar e, nessa medida, revelam a natureza e as contradições do tipo de sociedade na qual vivemos – o que, por sua vez, pode ser especialmente bem ilustrado pelo descrédito da fraternidade financeira em consequência dos desastres que tiveram lugar desde a crise financeira que teve início em 2007. É óbvio, porém, que a luz impiedosa lançada pela crise não tornou o capitalismo contemporâneo um livro aberto a ser facilmente lido de cabo a rabo com letras garrafais. É verdade que, além da crise econômica, o neoliberalismo passou por uma crise temporária de legitimidade; no entanto, as razões desta crise, bem como as soluções propostas, permanecem controversas ao longo do espectro intelectual e político como um todo, e no marxismo em particular.

A crise da financeirização

Cada crise incorpora características específicas, seja em virtude das suas causas mais próximas, da sua profundidade, amplitude e incidência ao longo da economia, da ideologia ou do sistema político, seja por seu impacto diferenciado dentro e entre setores econômicos ou nos diversos segmentos da classe trabalhadora em cada país. A crise iniciada em 2007 – que levou a um verdadeiro colapso da atividade econômica em vários países – é notável tanto por seus efeitos em dimensões sociais distintas quanto pelas múltiplas combinações desses efeitos. Em primeiro lugar, a crise não foi iniciada por uma febre das tulipas, por uma Companhia dos Mares do Sul ou por uma bolha tecnológica, e muito menos por um frenesi no mercado de ações ou um crash nos mercados de commodities – embora as bolsas de valores em diferentes países tenham passado por uma intensa turbulência especulativa no período que precedeu a crise e após seu advento. A crise se espalhou a partir do mercado de hipotecas *subprime* dos Estados Unidos, um mercado que fornecia financiamento habitacional às famílias mais pobres do país. É importante notar, porém, que a identificação do local de origem da crise não explica por que ela desencadeou tamanha explosão mundial.

Em segundo lugar, por razões óbvias, ninguém em sã consciência poderia culpar os pobres pelo *boom* especulativo ou pelo *crash* e suas sequelas. Longe disso. Ao contrário do que ocorreu em vários casos recentes de mau funcionamento econômico, em nenhum lugar os salários, proteções sociais e benefícios supostamente "excessivos" recebidos pelos trabalhadores foram apontados como causa da crise – em contraste com situações anteriores, nas quais as perspectivas neoclássicas e keynesianas, e até a abordagem marxista da "compressão dos lucros"[9]

---

[9] NT: No original: "profit squeeze". O termo designa a dificuldade dos empresários em manter a taxa de lucros devido ao crescimento dos custos de produção – em particular, os salários.

ajudaram a legitimar, de maneira mais ou menos explícita, a transferência do custo dos ajustes para os trabalhadores e os pobres. Dessa vez, o sistema financeiro e seus excessos foram obviamente os culpados; surpreendentemente, porém, continuou-se a defender que este mesmo sistema financeiro precisava ser resgatado para evitar impactos adversos ainda maiores sobre todos nós, o que, por sua vez, ajudou a legitimar os tempos difíceis de "austeridade" que se sucederam. A culpa não é de ninguém, afirmaram (isentando convenientemente os incentivos que o neoliberalismo concedeu ao setor financeiro e a promoção generalizada e persistente dos interesses dos ricos); mas, como o leite já havia sido derramado e a jarra quebrada, insistia-se que deveríamos todos trabalhar juntos para resolver o problema, suportando no meio-tempo as inevitáveis privações.

Em terceiro lugar, apesar de sua severidade, sem precedentes desde a década de 1930, a crise iniciada em 2007 fechou um período de 30 anos de desaceleração do processo de acumulação, o qual sucedeu o crescimento "keynesiano" acelerado do imediato pós-guerra. Com a exaustão dos "anos dourados" no ocidente, consolidou-se um "novo normal", caracterizado por taxas de crescimento mais baixas ao redor do mundo (e, em particular, nas economias avançadas), que pode perdurar indefinidamente. Sejam quais forem suas causas imediatas no mercado habitacional dos EUA e em outros lugares, a crise e sua profundidade não foram simplesmente o resultado de uma fase maníaca e excessivamente eufórica de acumulação financeirizada, cujas contradições e conflitos teriam promovido uma reação correspondente e na direção oposta, e que poderia se resolver naturalmente através do "expurgo" espontâneo dos seus excessos. Pelo contrário, a crise se aninhava claramente no tipo de acumulação neoliberal que se consolidou após a derrocada do keynesianismo do pós-guerra.

Em quarto lugar, a crise atual é parte de uma sequência de desastres financeiras ou de balanços de pagamentos que têm afetado especialmente os países pobres e de renda média de maneira regular desde o final da década de 1970. Mesmo quando severas em determinadas regiões, essas crises têm sido contidas, em particular por intervenções multilaterais capitaneadas pelo Departamento do Tesouro dos EUA e implementadas pelo Banco Mundial, o Fundo Monetário Internacional e as instituições da União Europeia. A situação gerada pela crise iniciada em 2007 foi diferente. Os mecanismos de transmissão dessa crise sobrecarregaram até mesmo as intervenções estatais de magnitude inédita então implementadas, as quais buscavam controlar e mitigar seus piores efeitos e sua difusão geográfica. As limitações da política macroeconômica e da cooperação internacional, realçadas pelo efeito-dominó desencadeado pela própria crise dos *subprimes*, refletem a complexidade das estruturas financeiras contemporâneas. Essa complexidade dificultou sobremaneira a escolha das instituições financeiras que deveriam ser resgatadas, por quais critérios, com que finalidade, como, por quanto tempo, e a que custo, e quais políticas suplementares seriam necessárias em nível doméstico e interestatal.

Esses fatores são indicativos de uma crise mais abrangente no neoliberalismo, a qual, por sua vez, exige uma análise mais complexa. À primeira vista, salvo poucas exceções, parecia não haver sobrado neoliberal algum na esteira da crise. O dramático fracasso do sistema financeiro motivou uma busca desesperada de remédios keynesianos suaves e conduzidos pelo próprio sistema financeiro, bem como de um controle estatal fragmentário e reativo, incluindo até mesmo a nacionalização das finanças e de certas indústrias – o que teria sido um anátema alguns meses antes. As acrobacias ideológicas necessárias para justificar essas escolhas nas políticas públicas e as deficiências nos mecanismos institucionais para formulá-las e implementá-las ficaram óbvias. Mesmo assim, medidas extraordinariamente caras para "resgatar" a economia foram deflagradas pelo presidente dos EUA (o ultra neoliberal G. W. Bush) no crepúsculo do seu mandato, e foram mantidas por seu (supostamente muito diferente) sucessor, Barack Obama. Tais medidas foram replicadas por distintos atores políticos no Reino Unido, na França, na Itália e em muitos outros países. Invariavelmente, essas políticas implementadas para enfrentar a crise foram, de maneira inconfundível, neoliberais; mas, mesmo assim, elas foram revertidas assim que possível. Para colocar em perspectiva a profundidade da crise das finanças e a extensão da intervenção estatal, dois fatos devem ser ressaltados. De um lado, os recursos oferecidos para escorar o sistema financeiro excederam em muito as receitas totais resultantes de *todas* as privatizações, somadas, até hoje. De outro, os pacotes de resgate teriam sido suficientes para eliminar a pobreza mundial pelos próximos 50 anos, se não indefinidamente.

O neoliberalismo e a crise

Em um nível mais profundo, o neoliberalismo está atrelado a uma combinação específica de ideologia, teoria e políticas públicas. Essa combinação passou por duas fases. A primeira fase, de choque, foi baseada na extensiva *intervenção* estatal visando promover o capital privado tanto quanto possível, desconsiderando as consequências sociais, políticas e econômicas – uma espécie de Reaganismo/Thatcherismo que, como se sabe, foi imposto ao Leste Europeu com base na mesma terminologia de "terapia de choque". Entretanto, o *ethos* de "*just do it*" da primeira fase do neoliberalismo (que falava em deixar tudo para o livre mercado, o que, na prática, implicava usar o Estado para promover o capital privado, sobretudo em suas relações opressivas com a população trabalhadora) não se originou nem se restringiu às economias de transição. A segunda fase, da Terceira Via ou do "mercado social", que continuou até a crise financeira global iniciada em 2007, incluiu diferentes tipos de intervenção estatal, tanto para mitigar os piores efeitos da primeira fase quanto, de maneira mais importante, para sustentar aquilo que se tornou o traço característico do próprio neoliberalismo: a financeirização. Nas últimas quatro décadas, a financeirização prosperou por meio – e com a roupagem – da promoção do mercado (isto é, do capital privado) em geral. Na prática, isso significa a subordinação da reprodução social aos imperativos do sistema financeiro em todas as áreas: das privatizações e desregulamentações às metas de inflação, a comercialização dos serviços públicos e a difusão de crédito pessoal e dos seguros privados, em oposição frontal à seguridade social.

Assim, a crise inevitavelmente ressaltou a importância das finanças no capitalismo contemporâneo. É difícil exagerar a expansão do sistema financeiro nos últimos 40 anos e seu impacto. Houve uma imensa proliferação e um crescimento intenso dos mercados financeiros, em termos de derivativos, contratos futuros, mercado de câmbio, hipotecas, títulos públicos e ações. As finanças também penetraram amplamente áreas de reprodução econômica e social que, na era keynesiana de "modernização" e "bem-estar social" keynesiano, haviam sido retiradas do controle direto do capital privado. Pense-se, por exemplo, na saúde, educação, energia, telecomunicações, transporte, habitação, pensões, benefícios, assistência social, e assim por diante. Além disso, as corporações industriais foram amplamente capturadas pelo processo de financeirização, que se exprime no impulso à geração de "valor para o acionista" (*shareholder value*) por meio de transações financeiras, reestruturações e mudanças na governança corporativa – medidas através das quais a corporação industrial financeirizada busca elevar a lucratividade, frequentemente às custas dos investimentos voltados à expansão e o aprimoramento da capacidade produtiva e ao aumento da produtividade.

Essas considerações econômicas estão imersas em um novo padrão de imperialismo (a assim chamada "globalização"), surgido na esteira do final da Guerra Fria. Nesse âmbito, a fraqueza e a força dos Estados Unidos como poder hegemônico tenderam a se intensificar e se explicitar cada vez mais. Em contraste, o colapso do socialismo de tipo soviético e o enfraquecimento dos movimentos progressistas foram retrocessos marcantes. Igualmente significativa foi a ascensão da China, sua abertura ao capitalismo e sua capacidade de fornecer ao capitalismo mundial o trabalho assalariado de dezenas, se não centenas de milhões de trabalhadores. Também se sobressai nesse período a relação peculiar da China com os Estados Unidos, em que a primeira oferece forte apoio à reciclagem dos déficits fiscais, comerciais e de transações correntes do segundo. Mas a China está longe de desempenhar sozinha essa função. A Alemanha e o Japão também têm sido importantes para sustentar tanto o dólar quanto os déficits dos EUA ao longo do tempo. Isso revela uma combinação extraordinária de força e fraqueza dos EUA, na medida em que o dólar se mantém como moeda mundial com apoio externo, e os movimentos para suplantar as suas funções como moeda de reserva e meio de pagamento globais são, no máximo, marginais. O resultado é um dólar volátil, mas ainda dominante, não obstante a fragilidade potencial e a fraqueza estrutural amplamente reconhecida da economia dos EUA – fraqueza que provocaria o colapso do valor de qualquer outra moeda.

O marxismo diante da crise

À medida que a ortodoxia econômica tropeçava durante a crise, as análises marxistas e heterodoxas tenderam a assumir um papel cada vez mais proeminente. O que importa, porém, é menos descrever os desenvolvimentos mencionados acima do que explicá-los; e isso, por sua vez, requer que tais desenvolvimentos sejam situados dentro de um marco analítico. Em particular, três questões precisam ser enfrentadas. A primeira diz respeito às razões da desaceleração econômica dos últimos 40 anos, a qual, cabe notar, ocorreu em um contexto que não poderia ter sido mais propício à acumulação de capital, caracterizado por várias formas de incentivos financeiros, jurídicos e regulatórios ao capital, salários estacionários ou até mesmo declinantes, enfraquecimento dos movimentos progressistas, emancipatórios e dos trabalhadores, expansão e "flexibilização" da força de trabalho mundial, e a quase completa hegemonia neoliberal na política, na gestão estatal e na ideologia. Sem uma explicação para a desaceleração econômica nessas circunstâncias, não é possível explicar a erupção de tamanha crise financeira, suas graves consequências imediatas, e sua continuidade por anos a fio. Tampouco é possível especificar a natureza da própria crise, para além da descrição de suas características imediatas.

Em segundo lugar, é preciso deslindar a importância da financeirização e sua relação com a acumulação do capital (produtivo). Paradoxalmente, apesar das finanças e da financeirização terem atraído grande atenção de acadêmicos marxistas, tem havido pouco esforço analítico para incorporar as finanças à análise teórica de Marx. Isso vale até para a tradição ancorada em Rudolf Hilferding – entre outras razões, porque sua noção de capital financeiro parece pouco adaptada à diversidade e à extensão da financeirização atual, que vai muito além da relação entre bancos e indústrias. Apesar do potencial explicativo da economia política marxista, muito mais atenção foi dada a Hyman Minsky do que a Karl Marx no que se refere ao papel das finanças no colapso de 2007-08.

Em terceiro lugar, é preciso localizar o papel da luta de classes nessas circunstâncias, nas quais ela parece estar, ao mesmo tempo, enfraquecida e distante da posição em que o marxismo costuma situá-la (isto é, no âmbito da produção). Um dos mantras do neoliberalismo é justamente a "flexibilidade" nos mercados de trabalho, que, na prática, é imposta pela intervenção estatal a favor do capital implementada pela legislação e, se necessário, por meios autoritários. Esse processo levou ao declínio cumulativo da força, da organização e do ativismo da classe trabalhadora, ao passo que a influência das organizações dos trabalhadores na reprodução social também foi enfraquecida pela despolitização, desorganização, privatização, redução das garantias trabalhistas, e assim por diante. Essas dinâmicas apresentam desafios analíticos e estratégicos que, desde antes da crise, têm sido enfrentados com base nos mais variados argumentos, os quais vão da "extinção" da classe trabalhadora e do próprio capitalismo até o surgimento de novos movimentos sociais mais ou menos anticapitalistas.

Além dessas três questões analíticas – a desaceleração, a financeirização e o papel das classes – há um outro problema de caráter estratégico: como reagir a esse estado de coisas sob as terríveis circunstâncias da crise econômica e do enfraquecimento dos movimentos progressistas? A relação entre as reformas no interior do capitalismo e a revolução socialista voltada a sua superação revive um dilema tradicional do marxismo: como avançar as reformas sem comprometer a revolução? Atualmente, contudo, essas considerações parecem ter se tornado um luxo utópico, já que, apesar da severidade da crise econômica e da correspondente crise de legitimidade do neoliberalismo, nem a reforma radical, nem a revolução entraram em pauta.

Para abordar essas três questões analíticas, empregaremos e desenvolveremos – tanto lógica quanto historicamente – a teoria da acumulação de Marx, com base nas categorias analíticas desenvolvidas nos três livros d'*O Capital*. Como visto nos capítulos anteriores, a teoria de Marx compreende a acumulação como a expansão quantitativa do capital produtivo levada a cabo por um processo de reestruturação contínua e desigual, o qual geralmente se traduz na constituição de unidades produtivas maiores e mais complexas – organizadas, no mundo de hoje, primordialmente através das corporações transnacionais. O ritmo e a frequência da reestruturação do capital dependem, todavia, em larga medida de fatores que não estão sob o controle imediato dos próprios capitalistas industriais, sobretudo as políticas estatais e a atuação da classe trabalhadora. Eles dependem, ainda, da reestruturação de outros capitais em mercados concorrentes e no setor financeiro, bem como de transformações mais gerais da vida econômica e social. Cada um desses elementos, desiguais em seus efeitos, pode ser mais ou menos favorável à acumulação por meio da reestruturação. O seu impacto depende das configurações cambiantes de interesses econômicos, políticos e ideológicos dentro dos limites estabelecidos pelo sistema de acumulação como um todo, bem como dos conflitos gerados por essas configurações. O papel do Estado é crucial neste contexto, e se dá por meio de políticas econômicas implementadas paralelamente ao uso da força e da retórica legitimadora das disfunções, injustiças e iniquidades do capitalismo.

Essas considerações abstratas podem ser aprofundadas ao se considerar, como indicado, que a atual desaceleração econômica não se deve à força ou militância da classe trabalhadora, do que se infere que as explicações para a crise devem ser buscadas nas relações intracapitalistas. Crucial para a explicação, em particular, é o processo de financeirização – uma proposição que, agora, é aceita por todos, mas que adquire uma conotação peculiar no contexto das categorias analíticas de Marx. Como sugerido no capítulo 12, na era neoliberal, a financeirização é definida pela expansão do capital portador de juros (CPJ) em todos os setores da economia, o que inclui as operações financeiras não apenas em corporações industriais supostamente independentes, mas também na saúde, na educação, na seguridade social, no crédito ao consumidor, na habitação etc. Através de formas híbridas, portanto, o CPJ tem promovido ativamente a acumulação de capital financeiro (fictício) às custas da acumulação de ativos produtivos. Embora lucrativo no curto prazo para os capitais individuais, este processo é disfuncional para a acumulação sustentada do capital em geral, tanto quantitativa quanto qualitativamente.

Em suma, a financeirização é sustentada pela expansão quantitativa do CPJ e por sua extensão ao longo da economia, que ora promovem, ora suprimem a reestruturação do capital industrial, influenciando, assim, direta *e* indiretamente, o impacto mais geral do neoliberalismo sobre a reprodução social. A acumulação de ativos financeiros ganhou prioridade sobre a acumulação do capital industrial, tanto sistemicamente quanto do ponto de vista das políticas públicas, apesar (e, até certo ponto, *por causa*) do rápido crescimento do proletariado ao redor do globo. Na crise, isso foi revelado cruamente pela magnitude das intervenções realizadas pelo Estado em favor das finanças, as quais superam em muito as verbas muito mais modestas que, em circunstâncias mais favoráveis, foram anteriormente negadas não apenas para a saúde, a educação e a seguridade, mas também para o desenvolvimento industrial, a expansão da infraestrutura e o gerenciamento da concorrência internacional.

Crise e luta de classes

Dada nossa análise da desaceleração, da crise e do papel central da financeirização no neoliberalismo, como situar a luta de classes e a relação entre reforma e revolução? Consideremos três posições extremas e, possivelmente, caricaturais. A primeira descreve a financeirização como um epifenômeno, e sustenta que se deve voltar a uma estratégia baseada na classe trabalhadora organizada a partir da produção. O principal problema aqui consiste no fato de que tal ativismo tem se mostrado débil e, possivelmente, em processo de enfraquecimento ainda maior, além de tender a se desconectar de lutas que, por necessidade, têm se proliferado longe da produção – não apenas por salários, benefícios e seguridade social, mas também em razão das catástrofes ambientais desencadeadas pelo capitalismo global. A segunda posição extrema, por seu lado, ignora a crise econômica e a realidade da produção, para enfatizar exclusivamente as questões do meio-ambiente, os estilos de vida alternativos, e a multiplicidade de discriminações (re)produzidas quotidianamente pelo capitalismo contemporâneo. Por mais importantes que sejam tais preocupações, não é provável que tentativas de as confrontar separadamente de suas raízes estruturais possam levar no futuro a resultados superiores aos obtidos no passado. A terceira posição consiste em se concentrar em algo parecido a um ataque à "exploração através do comércio" engendrada pelo setor financeiro, baseando-se na antipatia popular contra os banqueiros – e ignorando as questões sistêmicas colocadas pela financeirização da produção e da reprodução social sob o neoliberalismo. Não obstante seus méritos estratégicos, há problemas analíticos e políticos importantes quando as questões são tratadas em termos de "as finanças contra todos nós". Reiterando um ponto anterior, basta pensar nas outras formas de exploração e opressão internas à própria produção, para as quais a reforma do sistema financeiro pouco significaria.

A alternativa não é rejeitar os três extremos apresentados acima, mas superá-los, conectando produção e classe às lutas específicas engendradas pelo modo de reprodução socioeconômica característico do neoliberalismo. Como é evidente, as maneiras pelas quais a financeirização intervém em tal reprodução são, ao mesmo tempo, difusas e heterogêneas; por conseguinte, igualmente difusas e heterogêneas serão não apenas as reações mais ou menos espontâneas aos efeitos da financeirização, mas também a busca de alternativas. De uma perspectiva marxista (mas também de outras), é muito mais fácil visualizar a necessidade de esmagar o sistema financeiro do que imaginar como fazê-lo ou vincular tal oposição a movimentos mais enraizados e capazes de efetivar tal transformação econômica e social. Como Marx afirmou numa conhecida passagem d'*O 18 de Brumário de Luís Bonaparte* (1852):

> Os homens fazem a sua própria história; contudo, não a fazem de livre e espontânea vontade, pois não são eles quem escolhem as circunstâncias sob as quais ela é feita, mas estas lhes foram transmitidas assim como se encontram. A tradição de todas as gerações passadas é como um pesadelo que comprime o cérebro dos vivos.

O que vale para nossos cérebros também vale para nossas circunstâncias materiais. Crises no financiamento hipotecário (e sua conexão com a provisão de habitações) são distintas das crises do meio-ambiente (às quais se associam o impulso neoliberal pela comercialização de créditos de carbono, que deu origem a uma nova e vasta fronteira da acumulação, criando lucros no presente enquanto finge mitigar os desastres ambientais futuros engendrados pelo capitalismo) e das crises nos setores produtivos público e privado, seja na saúde, na educação ou na seguridade. Tais arenas de luta serão necessariamente tão diversas quanto as alianças que poderão ser formadas para contestar facetas específicas do neoliberalismo – alianças estas que podem ajudar a fortalecer, ampliar e transformar lutas isoladas (e, frequentemente, financeirizadas) em reivindicações renovadas por modos alternativos de provisão, baseados no controle democrático e na solidariedade, ao invés da extração e distribuição de mais-valor. É improvável que tais transformações ocorram espontaneamente: uma plataforma positiva para a mobilização social, inspirada em análises cuidadosas e entendimento teórico, continua essencial. Nesse sentido, a contribuição oferecida pelas análises marxistas e as experiências de luta ligadas a elas permanecem indispensáveis. Tal prognóstico coaduna-se perfeitamente com o epitáfio do túmulo de Marx, que cita sua décima-primeira tese sobre Feuerbach: "Os filósofos até agora apenas interpretaram o mundo de diferentes maneiras; a questão é transformá-lo".

Assim como muitos escritos de Marx, esse apelo aos socialistas do século XIX deve ser interpretado tanto como um meio de ampliação do conhecimento quanto como um chamado à ação. Ele permanece válido no século XXI, na medida em que procuramos abolir a sociedade capitalista apoiando-nos na oposição às contradições e injustiças que ela produz, na análise cuidadosa dessa sociedade – que deve se basear nas melhores ferramentas fornecidas pelas ciências sociais – e, mais importante, nas experiências práticas de luta de uma multiplicidade de grupos, associações, sindicatos, organizações políticas e nas massas de milhões que as sustentam todos os dias.

Questões e leituras adicionais

Em geral, a literatura marxista sobre a financeirização e a crise se divide entre as análises que veem as finanças como algo essencial e aquelas que a enxergam como uma espécie de epifenômeno. Há ainda duas outras posições adicionais: de um lado, há o argumento de que a crise iniciada em 2007 é uma consequência tardia do fracasso da busca de soluções para as contradições da acumulação no período ("keynesiano") do pós-guerra; de outro, há autores que consideram a crise como um resultado da reestruturação financeirizada da acumulação e de seus efeitos sociais e econômicos. A financeirização tem sido examinada a partir de diferentes perspectivas na literatura marxista; para uma revisão dessa literatura, ver Fine (2012, 2014). Muito já foi escrito sobre a crise iniciada em 2007; ver, por exemplo, Gérard Duménil e Dominique Lévy (2011), David McNally (2011), Leo Panitch e Martijn Konings (2008), Martijn Konings e Leo Panitch (2008), e edições do *Cambridge Journal of Economics*, da *New Left Review*, do *Historical Materialism* e do *Socialist Register*, bem como a riqueza dos materiais disponíveis nos sites *Dollars and Sense* (www.dollarsandsense.org) e *Socialist Project* (www.socialistproject.ca). Periódicos e sites de esquerda dedicados à economia política possuem grande quantidade de leituras importantes. Contudo, a financeirização se tornou tão generalizada e seu uso tão amorfo nas ciências sociais (salvo na economia ortodoxa, que ignora este conceito de maneira quase completa) que Brett Christophers (2015a e 2015b) lhe negou qualquer valor analítico. Consideramos essa posição insustentável, o que fica claro quando se considera a financeirização em termos da expansão extensiva (em direção a novas áreas de atividade) e intensiva (dentro das áreas já existentes) do capital portador de juros em um contexto neoliberal. Ver, especialmente, Kate Bayliss et al. (2015).

Capítulo XV

O MARXISMO E O SÉCULO XXI

A popularidade e proeminência do marxismo nascem e morrem com modismos intelectuais e ao ritmo dos acontecimentos mundiais – dois fatores dependentes entre si. O conteúdo e ênfase do marxismo também variam ao longo do tempo, dos lugares e dos contextos. Por um lado, o marxismo pode ser interpretado como uma crítica do capitalismo (orientação atualmente festejada na suposta era da globalização); por outro, como uma alternativa ao capitalismo (a exemplo dos países "socialistas" ou das atuais lutas pós-coloniais). O marxismo também tem se visto enredado em todos os principais debates das ciências sociais, embora seu peso e conteúdo tenham sido, ao mesmo tempo, diversos e desiguais conforme o tempo, os tópicos e as disciplinas.

O objetivo deste capítulo final é sustentar a relevância contínua da economia política de Marx para o estudo das questões contemporâneas. Inevitavelmente, tal relevância pode ser apenas sugestiva, limitada e enviesada quanto a tópicos que adquiriram papel essencial no desenvolvimento do marxismo. Um ponto de partida adequado para iniciar essa discussão é a ampla investida acadêmica realizada contra o marxismo no ocidente desde seu último auge de popularidade durante os anos 1960 e 1970. Além de promover a ideia mítica de que o keynesianismo tinha resolvido o problema das crises capitalistas (posteriormente descartada sob o neoliberalismo), o antimarxismo se alimentou da propaganda segundo a qual o marxismo seria rudimentar e doutrinário. Nesse contexto, destacam-se duas questões intimamente relacionadas: a primeira diz respeito à natureza da classe; a segunda, à natureza do Estado (capitalista). Após abordá-las, examinaremos a problemática do meio-ambiente e as consequências do capitalismo.

Classe

A principal crítica ao marxismo no que diz respeito à problemática das classes é sua suposta incapacidade de lidar com a complexidade e diversidade das relações de classe nas sociedades capitalistas avançadas (também denominadas de sociedade pós-industrial, democrática, de bem-estar social, de "classe média", meritocrática etc.). Tal crítica refere-se tanto à *estrutura* de classe quanto às *implicações* dessa estrutura. Em suma, argumenta-se, em parte com base na ideia de que Marx teria supostamente previsto uma polarização crescente na estrutura de classe (o que incluiria a presunção errônea da pauperização "absoluta" dos trabalhadores), que a divisão entre burguesia e proletariado seria demasiadamente rudimentar; e que – em razão, entre outras coisas, das aspirações revolucionárias de Marx para a classe trabalhadora – a ação e a ideologia de classe teriam supostamente falhado em confirmar as expectativas que ele derivou dessa estrutura de classe pressuposta. Por exemplo: por que trabalhadores assalariados votam em governos de direita? E por que governos conservadores introduzem reformas que beneficiam os trabalhadores? Essas perguntas serão abordadas abaixo. No plano metodológico, levantam-se questões acerca da consistência da teoria de Marx e da validade de suas explicações causais. Argumenta-se, por exemplo, que o marxismo é determinista e reducionista: supostamente, ele sugeriria que tudo é determinado pelo econômico, sendo este último identificado predominantemente com a produção e a relações de classe. Deriva-se daí a noção de que, segundo o marxismo, a evolução do capitalismo levaria inevitavelmente à supremacia numérica e à hegemonia política do proletariado – composto predominantemente por trabalhadores industriais (em sua maioria, do sexo masculino).

Sem dúvida, muitos marxistas cometeram os pecados analíticos da hiper-simplificação e da omissão de outros fatores – ainda que, em parte, eles o tenham feito com o intuito de expor as falácias da "liberdade", "eficiência" e "igualdade", que muitos apontam (com excessiva prontidão) como virtudes do capitalismo. Esperamos, todavia, que a essa altura, após nossa exposição de sua economia política e do método, já seja possível concluir que o próprio Marx não pode ser acusado de tais falhas. Não custa lembrar que, certa vez, em vista dos abusos sofridos por suas ideias ainda durante sua vida, o próprio Marx se declarou não marxista!

No que se refere à questão das classes, a economia política de Marx revela o elemento essencial da estrutura de classes do capitalismo: neste modo de produção, capital e trabalho necessariamente se confrontam por conta da compra e venda de força de trabalho. Além disso, como visto, Marx se preocupa com as consequências dessa estrutura de classes para a acumulação, reprodução, desenvolvimento desigual, crises etc. Portanto, longe de reduzir todos os outros fenômenos econômicos e sociais a essa perspectiva, sua economia política *abre caminho* para investigações mais abrangentes, sistemáticas e complexas da estrutura, relações, processos e consequências do capitalismo. Trata-se de uma conquista analítica fundamental.

A economia política de Marx, portanto, não reduz a estrutura de classes ao modelo capital/trabalho. Pelo contrário, ela localiza as outras classes *em relação* ao capital e ao trabalho, seja como partes essenciais ou contingentes do modo de produção capitalista. O marxismo demonstra, por exemplo, como, dentro do próprio capitalismo, criam-se as condições para a emergência de trabalhadores autônomos e para a prosperidade dos "profissionais liberais" – que, por diferentes razões, podem reter por completo os frutos do seu trabalho, apesar de serem remunerados através de salários (os quais, no entanto, podem assumir diferentes formas, como honorários, comissões etc.). Formalmente, isso pode ser representado pela ideia de que esses estratos recebem a recompensa completa por seu trabalho vivo, $t = v + m$, ao invés de uma remuneração correspondente ao valor da força de trabalho, v. Mais importante, contudo, é explicar por que tais estratos, bem como as atividades e condições de trabalho a eles associadas, não são apropriados pelo capital e rebaixados em termos de habilidade ou status social ao nível do trabalho assalariado.

Diversas explicações gerais para esta questão podem ser apresentadas, algumas estruturais, outras contingentes. Por exemplo, um dos pressupostos do capitalismo avançado é o surgimento de sistemas comerciais e de crédito sofisticados que possibilitam belas recompensas aos que mobilizam e alocam fundos e mercadorias em nome de terceiros. O mesmo vale para as profissões que ajudam a facilitar ou salvaguardar a circulação do capital e sua reprodução social de modo mais amplo – embora tais atividades variem em peso e importância de acordo com o tempo e o lugar, e possam, caso as associações profissionais se mostrem ineficazes, estar sujeitas à proletarização. Afinal, existe uma enorme diferença entre o operário autônomo precarizado da construção civil ou o faxineiro terceirizado e o médico especialista ou o consultor de empresas.

Finalmente, conforme indicado, a ascensão da classe média, um estrato altamente diversificado quanto à sua composição e suas características, é o grande desafio da economia política das classes. O capitalismo avançado tem testemunhado o declínio dos trabalhadores industriais e a ascensão de serviços (sobretudo aqueles providos pelo Estado) que estão potencialmente distantes do cálculo e da motivação diretamente comerciais. A questão que se impõe é: será que o exército crescente de trabalhadores da saúde, educação e outras áreas públicas enfraquece análises baseadas na estrutura de classes alicerçada sobre o capital e o trabalho?

Quando se coloca a questão nesses termos, evidencia-se a continuidade da relevância das classes econômicas no capitalismo contemporâneo, em que o trabalho é definido em termos de sua dependência em relação ao salário. Não se trata de negar que a classe trabalhadora é, em si mesma, fortemente diferenciada – por setor; habilidade (manual ou intelectual); processo de trabalho; entre a indústria e o comércio; entre setores público e privado, e assim por diante. Tais diferenciações não invalidam o conceito de classe, mas destacam que os interesses e ações das classes não podem existir sempre, ou até predominantemente, como consequências imediatas da sua própria estrutura. Pelo contrário, tais interesses são formados econômica, política e ideologicamente por meio de relações econômicas concretas e circunstâncias históricas. Assim, a questão não é encaixar este ou aquele indivíduo nesta ou naquela classe com base em suas características *individuais* – trabalhadores manuais, sindicalistas, membros de partidos de esquerda etc. – mas traçar as relações pelas quais a classe trabalhadora se reproduz concretamente e se representa em relações materiais e ideológicas. Com base nisso, não se pode presumir que haja uma correspondência simples e fixa entre as características econômicas e as demais características sociais – embora, evidentemente, elas tampouco sejam independentes umas das outras. O fato de que a classe trabalhadora (ou seja, os assalariados em geral, e não uma definição rígida de trabalhadores industriais de colarinho azul) depende dos salários para garantir sua reprodução condiciona cada aspecto da vida social contemporânea, mesmo aqueles que não o aparentam; isso, contudo, não significa que os salários e as condições sociais estejam sujeitos a uma determinação rígida em termos de incidência e conteúdo.

O Estado e a globalização

Essas observações gerais sobre classe têm relevância para a teoria do Estado capitalista. Também nesse âmbito o marxismo foi alvo de críticas sob a forma de paródia: sua teoria do Estado foi acusada de reducionista, pois defenderia a ideia de que o Estado se limita a servir exclusivamente à classe dominante e, portanto, aos interesses capitalistas. Nesse sentido, a teoria se encontraria completamente suscetível à objeção de que o Estado frequentemente executa políticas públicas capazes de beneficiar os trabalhadores, especialmente no que se refere às políticas de bem-estar. O marxismo é apresentado, assim, de modo grosseiro, como se compreendesse a reforma como estratégia astuta da classe dominante para evitar a revolução – ou ainda para fomentar a constituição de uma classe trabalhadora melhor condicionada para produzir (e lutar guerras) em proveito das próprias classes dominantes.

Como no caso das classes, o registro histórico não corrobora essa visão simplista sobre o momento e conteúdo das reformas; tampouco faz sentido pensar as prestações de saúde, educação e pensões, entre outros, como mero meio para aprimorar a produtividade de curto ou longo prazo do trabalho. Outra representação equivocada e popular a respeito da teoria marxista refere-se à percepção do Estado ("relativamente autônomo") como essencial para a mediação de conflitos de interesse *dentro* da classe capitalista, e não entre capital e trabalho. Nesse caso, a principal função do Estado seria a de prevenir que capitalistas trapaceiem uns aos outros e que a concorrência se intensifique a ponto de se tornar inoportunamente disfuncional. Essa abordagem – de maneira semelhante à teoria do Estado como instrumento de uma classe contra a outra – consegue iluminar apenas de maneira bastante limitada a complexidade e diversidade do papel e das ações estatais.

O problema, em cada uma dessas perspectivas, é que o Estado é visto como uma instituição internamente homogênea, claramente separada do "mercado", e como um instrumento a serviço de interesses prontamente identificáveis – do capital contra o trabalho, em prol do capital como um todo e contra as inclinações destrutivas de suas partes ou, ainda, a favor da "nação" e contra nações e capitais rivais. Tais interesses, todavia, não existem nem podem existir sempre e em todas as circunstâncias em formas tão abstratas e, ao mesmo tempo, prontamente reconhecíveis. Ao contrário, as classes e interesses de classe se formam por meio de ações econômicas, políticas e ideológicas, condicionadas, mas não rigidamente determinadas, pela acumulação e reestruturação do capital e pelos padrões da reprodução social, dos quais as formações de classe dependem em maior ou menor extensão e de maneiras diversas. (Tais padrões incluem estruturas de emprego, de trabalho, sindicatos e outras formas de atividade, bem como a reprodução diária na casa, no trabalho e em outros lugares.)

Em cada uma dessas áreas, o Estado capitalista ocupa um papel crescentemente central. A circulação do capital forja uma esfera econômica de atividade que é estruturalmente separada do não-econômico, mas que ao mesmo tempo depende dele e lhe dá suporte. A observância das relações de propriedade por parte dos trabalhadores e a legitimação das desigualdades econômicas (e de qualquer outro tipo) precisam ser reproduzidas, tanto quanto as relações imediatas de valor. Portanto, a necessidade estrutural do Estado capitalista emerge, em grande medida, de seu papel não-econômico, isto é, na reprodução social – que deve ser distinguida da reprodução econômica, embora ocorram em conjunção com ela. Mesmo assim, o Estado está direta e fortemente enredado à vida econômica do capitalismo: ele apropria-se de (mais) valor e o desembolsa por meio de tributação e despesas públicas, regula a acumulação, reestrutura o capital conforme ele percorre seus padrões cíclicos, manipula taxas de câmbio através de políticas monetárias e outras políticas macroeconômicas e influencia relações redistributivas por meio de impostos, gastos e políticas de renda.

Infelizmente, essas noções fundamentais do marxismo têm passado despercebidas, mesmo quando Marx é festejado por ter antecipado a globalização ou por ter reconhecido processos similares em etapa histórica anterior. Com efeito, Marx enfatiza o caráter mundial do capitalismo e sua busca incansável por lucros onde quer que estejam. Isso forja afinidades com aqueles que compreendem a globalização como o definhamento do Estado-nação, supostamente impotente contra um capital internacionalmente volátil que se move sem esforço pelo mundo através de transações eletrônicas (e impõe globalmente os valores culturais dos EUA através da mídia).

Seja qual for o nível de internacionalização do capital nas suas três formas (dinheiro, mercadorias e produção), a reprodução não-econômica do capitalismo inevitavelmente exige, e até fortalece, o papel do Estado-nação, embora a pressão para se conformar aos imperativos unidimensionais do comércio não leve à uniformidade. De certa maneira, isso foi reconhecido por aqueles que se opõem à "globalização" e apontam e postulam alternativas aos seus efeitos deletérios. Ainda assim, tais perspectivas permanecem limitadas; pois elas frequentemente reduzem o capitalismo à globalização – do que se infere que todas as suas consequências nefastas podem ser facilmente identificadas e, em tese, corrigidas por políticas públicas "adequadas". Contudo, em todos os seus aspectos e independentemente de como se a conceba, a globalização é efeito da reprodução internacional do capitalismo e, consequentemente, *a forma assumida pelas leis da economia política no atual período*. Em suma, não importa o sentido que se pretenda atribuir à globalização em seus diversos aspectos econômicos, políticos e ideológicos, sua vinculação fundamental à produção e apropriação de mais-valor precisa ser analiticamente mantida.

O meio ambiente do capital

Em relação à questão da degradação ambiental, o marxismo tem sido acusado de privilegiar o social em detrimento do natural, subestimar o potencial de políticas protetivas e até de impedir considerações sobre a natureza em razão de sua excessiva preocupação com o econômico. Embora raramente tenha abordado o assunto de maneira direta, Marx deixou importantes contribuições para a reflexão sobre o que hoje denominamos "meio ambiente". Suas teorias do fetichismo da mercadoria e do processo de trabalho oferecem excelentes *insights* sobre a relação entre fatores sociais e materiais, visto que a produção de valor é, simultaneamente, produção de valores de uso com conteúdo físico e ambiental.

Tais teorias podem servir de base para uma discussão consistente sobre o meio ambiente, que deve ser compreendido em termos de *relações* ambientais (e os correspondentes conflitos e estruturas) específicas do *capitalismo*. Essa perspectiva contrasta com a hipótese de que haveria um conflito trans-histórico entre seres humanos e sistemas ecológicos, ou entre o meio ambiente e a economia. As relações ambientais do capitalismo são constituídas pelas relações de produção dominantes. Portanto, como amplamente reconhecido, o impulso à lucratividade leva, por meio da crescente composição orgânica do capital, à transformação de uma quantidade crescente de matérias-primas em mercadorias e às correspondentes extração e uso de energia e fontes minerais, sem preocupação com o impacto ambiental resultante.

Apesar dessa dinâmica, o capitalismo também é capaz de mitigar ou até reverter, ao menos em parte, essas degradações ambientais, especialmente pelo desenvolvimento de novos materiais e de regulação estatal. Quanto a isso, é importante reconhecer a natureza multidimensional do meio ambiente e a ampla diversidade de assuntos envolvidos nessa discussão, que vão da poluição à biotecnologia, às drogas, às vacinas, e assim por diante. Novamente, as lições a serem tiradas do conceito de fetichismo da mercadoria são significativas. Marx argumenta que relações mercantis são relações sociais que se expressam na forma de relações entre coisas, e que, num nível superficial, aparecem como grandezas puramente monetárias. As relações mercantis, portanto, ocultam tanto quanto revelam – e o que elas ocultam são as relações subjacentes de exploração entre classes, as dinâmicas que elas ensejam e as razões dessas dinâmicas. De maneira semelhante, o modo como as mercadorias foram constituídas como valores uso, com seus correspondentes vínculos com o meio ambiente, resta oculto, da mesma maneira que as origens geográficas da mercadoria ou sua (in)dependência da exploração de mão de obra infantil – a menos que essas informações sejam abertamente usadas, de maneira legítima ou não, como diferencial no momento da venda.

De maneira pouco surpreendente, esses aspectos "ocultos" da mercadoria, bem como do seu sistema de produção, distribuição e comércio, são por vezes trazidos à luz, gerando críticas e reações. Lutas contra o trabalho infantil, que visam denunciar sua incidência desde o ponto de produção até o de venda, estão afinal direcionadas à *natureza* da humanidade e à sua reprodução em aspectos materiais e culturais. Por razões análogas, a reprodução das relações ambientais, chamada de maneira otimista de "sustentabilidade", está em permanente confronto com uma gama de aspectos das relações mercantis capitalistas. Enquanto tais relações persistirem, permanecerão tanto o sistema de produção ao qual elas estão vinculadas quanto sua tendência a apropriar, transformar e degradar o meio ambiente – por mais que essa tendência possa ser mitigado pela regulação (algo que, todavia, tende a ser obstruído ou evadido pelas pressões competitivas).

Socialismo

O que é o socialismo? Será que ele oferece melhores perspectivas quanto a aspectos sociais e ambientais? As experiências socialistas do século XX se associaram a(o) Marx(ismo) e foram vistas popularmente como marxistas. Mas, já antes do colapso do muro de Berlim, reinava entre os marxistas uma controvérsia a respeito da natureza da União Soviética, com posições que iam desde sua defesa acrítica até sua condenação como uma forma de capitalismo (de Estado).

Cabe notar que a União Soviética passou, num período histórico relativamente curto, por uma notável transformação, que pode ser bem apreendida pela noção de Marx de acumulação primitiva. Uma sociedade em grande medida semifeudal, com enorme parcela de sua força de trabalho na agricultura, conseguiu criar em velocidade vertiginosa um mercado de trabalho assalariado e uma base industrial relativamente avançada e bem integrada. O período que se seguiu ao colapso da URSS testemunhou a conclusão dessa transição, por meio do ressurgimento tanto de uma classe de capitalistas quanto da propriedade privada da maior parte dos meios de produção. Argumenta-se frequentemente que tal resultado era inevitável, dada a baixa base produtiva inicial e a incansável hostilidade internacional enfrentada pela URSS ao longo de sua história. Mesmo assim, o ritmo, a direção e os efeitos de tamanha transição para o capitalismo estavam longe de serem predeterminados, como evidencia a menos catastrófica, mas igualmente dramática, adoção do (mal batizado) "socialismo com características chinesas" na segunda maior economia do mundo.

Embora Marx seja conhecido pelas críticas ao capitalismo enquanto sistema de exploração, ele também é visto, com frequência, como o inspirador das tentativas fracassadas de construção do socialismo. Embora ele não tenha deixado obras que tratem de maneira direta e exclusivamente da economia do socialismo, Marx, ao contrário do que se costuma pensar, tem muito a dizer sobre o assunto, sobretudo na *Crítica do programa de Gotha*. Em geral, ele está menos interessado em projetar utopias do que em fazer extrapolações ancoradas nos desenvolvimentos internos ao próprio capitalismo. Nesse esforço, ele parte de duas argumentações distintas, mas intimamente relacionadas.

Em primeiro lugar, Marx entende que o capitalismo promove um processo de socialização crescente da vida (por meio da organização da produção e da economia de forma geral e através do poder do Estado), mas que o modo como essa socialização se dá é limitado de maneira fundamental pela natureza privada do mercado, pela propriedade privada e pelo imperativo de lucratividade. A concorrência tende a socializar a produção capitalista por meio da divisão crescentemente intrincada do trabalho no chão de fábrica e na sociedade como um todo. Além disso, o papel crescente do Estado na provisão de serviços e na própria produção e redistribuição (através do planejamento ou das indústrias nacionalizadas), por exemplo, antecipa algumas das formas econômicas e sociais de um futuro socialismo. O mesmo se pode falar das cooperativas de trabalhadores, com ou sem apoio do Estado.

Essas formas embrionárias, porém, estão inevitavelmente restringidas em termos de conteúdo, forma e até sobrevivência por seu confinamento dentro da sociedade capitalista, pelo impulso direto ou indireto à lucratividade e pelo sistema econômico e social que impõe imperativos comerciais sobre todas e todos. Algumas formas de socialização – o planejamento da produção dentro de empresas de grande escala, que exclui o mercado, ou o papel mais abrangente e profundo do dinheiro através do sistema financeiro – estão muito mais distantes do socialismo do que o provimento de saúde, educação e seguridade pelo Estado. Nesse sentido, o slogan popular "as pessoas antes do lucro" exprime valores socialistas em paralelo a uma aceitação do capitalismo, já que o lucro é permitido desde que não seja priorizado. Aqui, há clara correspondência com a crítica de Marx à noção de Proudhon de que "a propriedade é um roubo" – na qual, de maneira simultânea, a propriedade é condenada e aceita (já que, sem propriedade, não poderia haver roubo).

Em segundo lugar, a antecipação do socialismo por Marx é derivada das contradições internas ao capitalismo – quer elas tenham evoluído e se transformado em formas socialistas embrionárias, quer não. Crucial, aqui, é o papel revolucionário que cabe à classe trabalhadora. O capitalismo cria, expande, fortalece e organiza o trabalho para os propósitos da produção, mas necessariamente explora a maioria trabalhadora e fracassa em realizar suas aspirações e seu potencial. Assim, na reveladora frase do *Manifesto Comunista*, "a burguesia produz, sobretudo, seus próprios coveiros. Seu declínio e a vitória do proletariado são igualmente inevitáveis".

Eis o meio para a revolução socialista. A motivação emerge dos vários aspectos da exploração, alienação e aviltamento humano característicos do capitalismo, e da maneira como eles podem ser superados. Sob o capitalismo, a classe trabalhadora é privada do controle do processo de produção, dos seus resultados, do conhecimento compreensivo e da influência sobre o funcionamento da sociedade e seu desenvolvimento.

Os trabalhadores também estão submetidos a severas limitações em suas perspectivas e conquistas potenciais, e a perturbações constantes em suas condições de vida, cuja sorte muda ao sabor do imperativo da lucratividade e das contingências da economia. Trata-se de um enorme desperdício em termos econômicos e, mais importante, em termos humanos – o que, muitas vezes, levou à resistência nos locais de trabalho e a enfrentamentos políticos e, historicamente, ofereceu um poderoso estímulo para reformas sociais e rebeliões anticapitalistas.

Para Marx, a abolição do capitalismo marcaria o fim da *pré-história* da sociedade humana. Contudo, a transição ao comunismo não é inexorável, nem inevitável. As relações sociais no cerne do capitalismo mudarão apenas por uma pressão esmagadora da maioria. Na falta disso, o capitalismo pode persistir indefinidamente, apesar de seus crescentes custos humanos e ambientais. Em todo caso, a passagem ao socialismo só pode ser alcançada em etapas, e não de maneira mágica e voluntarista. Sua primeira fase será inevitavelmente marcada pela contínua influência da pesada bagagem histórica do capitalismo. Marx argumenta que, em um estágio posterior, quando a divisão do trabalho e a oposição entre trabalho mental e manual tiverem sido superadas e o desenvolvimento das forças produtivas tiver atingido um nível suficientemente alto para permitir o pleno avanço dos indivíduos, a fase avançada do socialismo (o comunismo) pode ser construída. Como ele formula na *Crítica do programa de Gotha*: "de cada um de acordo com as suas capacidades, para cada um de acordo com as suas necessidades!".

Questões e leituras adicionais

Excepcionais estudos marxista sobre classe podem ser encontrados em Geoffrey de Ste. Croix (1984) e Ellen Meiksins Wood (1998); ver também os ensaios no *Socialist Register* (2001, 2014, 2015) e Sam Gindin (2015). As teorias marxistas do Estado são revisadas por Ben Fine e Laurence Harris (1979, caps. 6, 9); ver também Simon Clarke (1991), Bob Jessop (1982, 2012) e Ellen Meiksins Wood (1981, 1991, 2003).

A "globalização" capitalista é discutida em uma vasta literatura. Esta seção se apoia em Ben Fine (2002, cap.2), Alfredo Saad Filho (2003) e Alfredo Saad Filho e Deborah Johnston (2005); ver também Peter Gowan (1999), Hugo Radice (1999, 2000) e John Weeks (2001). Sobre o imperialismo, ver, por exemplo, Anthony Brewer (1989), Norman Etherington (1984), Eric Hobsbawm (1987), o *Socialist Register* (2004, 2005) e edições recentes da *Historical Materialism*, da *Monthly Review* e da *New Left Review*. A relação entre neoliberalismo e globalização também é discutida em Gerard Duménil e Dominique Lévy (2004, 2011), David Harvey (2005), Ray Kiely (2005, 2005, 2012) e Alfredo Saad Filho (2003, 2007).

Há uma crescente literatura sobre o meio ambiente e as crises ambientais. Ver, por exemplo, Ted Benton (1996), Finn Bowring (2003), Paul Burkett (1999, 2003), John Bellamy Foster (1999, 2000, 2002, 2009), Les Levidow (2003), Tony Weis (2007, 2013) e o *Socialist Register* (2007). Os periódicos *Capitalism, Nature, Socialism* e *Monthly Review* possuem grande riqueza de material.

Os comentários de Marx sobre o socialismo e o comunismo podem ser encontrados principalmente em Karl Marx (1974) e Karl Marx e Friedrich Engels (1998); ver também Friedrich Engels (1998, parte 3). Este capítulo se apoia em Ben Fine (1983). Os debates atuais sobre o socialismo são revisados por Al Campbell (2012), Makoto Itoh (2012), Michael Lebowitz (2003, 2013), David McNally (2006); ver também Michael Perelman (2000), o *Socialist Register* (2000, 2013), e as edições recentes da *New Left Review* e da *Science & Society*. O periódico *Critique* já publicou extensivamente sobre a experiência soviética; ver também John Marot (2012) e Marcel van der Linden (2007).

REFERÊNCIAS BIBLIOGRÁFICAS

ARTHUR, C.J. *Marx's Capital*: A Student Edition. London: Lawrence & Wishart, 1992.

ARTHUR, C.J. "Value, Labour and Negativity". *Capital & Class*, n. 73, 2001.

ARTHUR, C.J. *The New Dialectic and Marx's Capital*. Leiden: Brill Academic Publishers, 2002.

ARTHUR, C.J.; REUTEN, G. *The Circulation of Capital:* Essays on Volume Two of Capital. London: Macmillan, 1998.

ASHTON, T.H.; PHILPIN, C.H.E. *The Brenner Debate*: Agrarian Class Structure and Economic Development in Pre-industrial Europe. Cambridge: Cambridge University Press, 1985.

BANAJI, J. *Theory as History:* Essays on Modes of Production and Exploitation. Leiden and Boston: Brill, 2010.

BAYLISS, K.; FINE, B., ROBERTSON, M.; SAAD FILHO, A. *Thirteen Things You Need to Know about Neoliberalism*. Thematic Paper, FESSUD, 2015.

BENTON, T. *The Greening of Marxism*. London: Guilford Press, 1996.

BINA, C. "Some Controversies in the Development of Rent Theory: The Nature of Oil Rent". *Capital & Class*, n. 39, 1989.

BLACKLEDGE, P. *Reflections on the Marxist Theory of History*. Manchester: Manchester University Press, 2006.

BLEANEY, M. *Underconsumption Theories*: A History and Critical Analysis. London: Lawrence & Wishart, 1976.

BOTTOMORE, T. A Dictionary of Marxist Thought. Oxford: Basil Blackwell, 1991.

BOWRING, F. "Manufacturing Scarcity: Food Biotechnology and the Life-Sciences Industry". *Capital & Class,* n. 79, 2003.

BRENNER, R. "The Social Basis of Economic Development". *In:* ROEMER, J. (org.) *Analytical Marxism.* Cambridge: Cambridge University Press, 1986.

BRENNER, R. "The Economics of Global Turbulence". *New Left Review,* n. 229, pp. 1-265, 1998.

BRENNER, R. *The Boom and the Bubble:* The US in the World Economy. London: Verso, 2002.

BRENNER, R. "Property and Progress: Where Adam Smith Went Wrong". *In:* WICKHAM, C. (org.). *Marxist History-writing for the Twenty-first Century.* Oxford: Oxford University Press, 2007.

BREWER, A. *Marxist Theories of Imperialism:* A Critical Survey. London: Routledge, 1989.

BRIGHTON LABOUR PROCESS GROUP. "The Capitalist Labour Process". *Capital & Class*, n. 1, pp. 3-26, 1977.

BROWN, A., FLEETWOOD, S.; ROBERTS, J.M. *Critical Realism and Marxism.* London, Routledge, 2002.

BRUNHOFF, S. de. *Marx on Money.* New York: Urizen Books, 1976.

BRUNHOFF, S. de. "Financial and Industrial Capital: A New Class Coalition". *In:* SAAD FILHO. A (org.). *Anti-Capitalism:* A Marxist Introduction. London: Pluto Press, 2003.

BRURAWOY, M. *Manufacturing Consent:* Changes in the Labor Process under Monopoly Capitalism. Chicago: University of Chicago Press, 1979.

BURKETT, P. *Marx and Nature*: A Red and Green Perspective. New York: St Martin's Press, 1999.

BURKETT, P. "Capitalism, Nature and the Class Struggle". *In:* SAAD FILHO, A. (org.). *Anti-Capitalism:* A Marxist Introduction. London: Pluto Press, 2003.

BYRES, T. *Capitalism from above and Capitalism from below.* London: Macmillan, 1996.

CALLINICOS, A. *Deciphering Capital:* Marx's Capital and Its Destiny. London: Bookmarks, 2014.

CAMPBELL, A. "Socialism, Communism and Revolution". *In:* FINE, B.; SAAD FILHO, A. (org.). *The Elgar Companion to Marxist Economics.* Cheltenham: Edward Elgar, 2012.

CHATTOPADHYAY, P. *The Marxian Concept of Capital and the Soviet Experience:* Essay in the Critique of Political Economy. Westport, Conn: Praeger, 1994.

CHOONARA, J. *Unravelling Capitalism:* A Guide to Marxist Political Economy. London: Bookmark Publications, 2009.

CHRISTOPHERS, B. "The Limits to Financialization". *Dialogues in Human Geography,* vol. 2, n. 5, pp. 183-200, 2015.

CHRISTOPHERS, B. "From Financialization to Finance: For 'De-Financialization'". *Dialogues in Human Geography,* vol. 2, n. 5, pp. 229-32, 2015.

CLARKE, S. *The State Debate.* London: CSE/Macmillan, 1991.

CLARKE, S. *Marx's Theory of Crisis.* London: Macmillan, 1994.

CLARKE, S. "Crisis Theory". *In:* FINE, B.; SAAD FILHO, A. (org.). *The Elgar Companion to Marxist Economics.* Cheltenham: Edward Elgar, 2012.

DAVIDSON, N. *How Revolutionary Were the Bourgeois Revolutions?* Chicago: Haymarket., 2010.

DUMÉNIL, G. *De la valeur aux prix de production.* Paris: Economica, 1980.

DUMÉNIL, G.; LÉVY, D. *Capital Resurgent:* Roots of the Neoliberal Revolution. Cambridge, Mass.: Harvard University Press, 2004.

DUMÉNIL, G.; LÉVY, D. *The Crisis of Neoliberalism.* Cambridge, Mass.: Harvard University Press, 2011.

ELSON, D. (1979) *Value:* The Representation of Labour in Capitalism. London: CSE Books/Verso, 2015.

ELSON, D. (1979) "The Value Theory of Labour". *In: Value, the Representation of Labour in Capitalism.* London: CSE Books/Verso, 2015.

ENGELS, F. Anti-Dühring. *In:* MARX, K.; ENGELS, F. *Classics in Politics* (CD-ROM). London: Electric Book Company, 1998.

ETHERINGTON, N. *Theories of Imperialism:* War, Conquest and Capital. London: Croom Helm, 1984.

FINE, B. "The Circulation of Capital, Ideology and Crisis". *Bulletin of the Conference of Socialist Economists*, n. 12, pp. 82-96, 1975.

FINE, B. *Economic Theory and Ideology*. London: Edward Arnold, 1980.

FINE, B. *Theories of the Capitalist Economy*. London: Edward Arnold, 1982.

FINE, B. "A Dissenting Note on the Transformation Problem". *Economy and Society,* n. 12(4), 1983.

FINE, B. "Marx on Economic Relations under Socialism". *In*: B. Matthews (org.). *Marx:* A Hundred Years On. London: Lawrence & Wishart, 1983.

FINE, B. "Banking Capital and the Theory of Interest". *Science & Society*, vol 4, n. 49, pp. 387-413, 1985-6.

FINE, B. *The Value Dimension:* Marx versus Ricardo and Sraffa. London: Routledge & Kegan Paul, 1986.

FINE, B. "From Capital in Production to Capital in Exchange". *Science & Society*, n. 52(3), pp. 326-37, 1988.

FINE, B. "On the Composition of Capital: A Comment on Groll and Orzech". *History of Political Economy*, vol. 1, n. 22, pp. 149-55, 1990.

FINE, B. *The Coal Question:* Political Economy and Industrial Change from the Nineteenth Century to the Present Day. London: Routledge, 1990.

FINE, B. "On the Falling Rate of Profit". *In:* CARAVALE, G.A (org.). *Marx and Modern Economic Analysis.* Aldershot: Edward Elgar, 1992.

FINE, B. *Women's Employment and the Capitalist Family*. London: Routledge, 1992.

FINE, B. *Labour Market Theory:* A Constructive Reassessment. London: Routledge, 1998.

FINE, B. "The Continuing Imperative of Value Theory". *Capital & Class*, n. 75, pp. 41-52, 2001.

FINE, B. *The World of Consumption:* The Material and Cultural Revisited (2nd edn). London: Routledge, 2002.

FINE, B. "Contesting Labour Markets". *In:* SAAD FILHO, A. (org.). *Anti-Capitalism:* A Marxist Introduction. London: Pluto Press, 2003.

FINE, B. "Debating Lebowitz: Is Class Conflict the Moral and Historical Element in the Value of Labour Power?". *Historical Materialism,* vol. 3, n. 16, pp. 105-14, 2008.

FINE, B. *Financialisation, the Value of Labour Power, the Degree of Separation, and Exploitation by Banking*, 2009. Disponível em: https://eprints.soas.ac.uk/7480/2/BenFine_FinancialisationLabourPower.pdf

FINE, B. "Revisiting Rosa Luxemburg's Political Economy". *Critique*, vol. 3, n. 40, pp. 423-30, 2012.

FINE, B. "Neo-Liberalism in Retrospect? It's Financialisation, Stupid". *In:* FINE, B.; CHANG, K.-S.; WEISS, L. (Coord). *Developmental Politics in Transition:* The Neoliberal Era and Beyond. Basingstoke: Palgrave MacMillan, 2012.

FINE, B. "Consumption Matters". *Ephemera*, vol. 2, n. 13, pp. 217-48, 2013.

FINE, B. "Financialisation from a Marxist Perspective". *International Journal of Political Economy*, vol. 4, n. 42, pp. 47-66, 2014.

FINE, B.; HARRIS, L. *Rereading Capital*. London: Macmillan, 1979.

FINE, B.; LEOPOLD, E. *The World of Consumption*. London: Routledge, 1993.

FINE, B.; MILONAKIS, D. *From Economics Imperialism to Freakonomics:* Economics as Social Theory. London: Routledge, 2009.

FINE, B.; SAAD FILHO, A. "Production vs. Realisation in Marx's Theory of Value: A Reply to Kincaid". *Historical Materialism*, vol. 4, n. 16, pp. 167-80, 2008.

FINE, B.; SAAD FILHO, A. "Twixt Ricardo and Rubin: Debating Kincaid Once More". *Historical Materialism*, vol. 3, n. 17, pp. 192-207, 2009.

FINE, B.; SAAD FILHO, A. *The Elgar Companion to Marxian Economics*. Cheltenham: Edward Elgar, 2012.

FINE, B., GIMM, G.; JEON, H. "Value Is as Value Does: Twixt Knowledge and the World Economy". *Capital & Class*, n. 100, pp. 69-83, 2010.

FINE, B., HEASMAN, M.; WRIGHT, J. Consumption in the Age of Affluence. London: Routledge, 1996.

FINE, B., LAPAVITSAS, C.; MILONAKIS, D. "Addressing the World Economy: Two Steps Back". *Capital & Class*, n. 67, pp. 47-90, 1999.

FINE, B., LAPAVITSAS, C.; SAAD FILHO, A. "Transforming the Transformation Problem: Why the 'New Interpretation' Is a Wrong Turning". *Review of Radical Political Economics,* vol. 1, n. 36, pp. 3-19, 2004.

FOLEY, D. "The Value of Money, the Value of Labour Power and the Marxian Transformation Problem". *Review of Radical Political Economics*, vol. 2, n. 14, pp. 37-47, 1982.

FOLEY, D. *Understanding Capital:* Marx's Economic Theory. Cambridge, Mass.: Harvard University Press, 1986.

FOLEY, D. "Recent Developments in the Labor Theory of Value". *Review of Radical Political Economics*, vol. 1, n. 32, pp. 1-39, 2000.

FOSTER, J.B. *The Vulnerable Planet*. New York: Monthly Review Press, 1999.

FOSTER, J.B. *Marx's Ecology*. New York: Monthly Review Press, 2000.

FOSTER, J.B. *Ecology against Capitalism*. New York: Monthly Review Press, 2002.

FOSTER, J.B. *The Ecological Revolution:* Making Peace with the Planet. New York: Monthly Review Press, 2009.

GABRIEL, M. *Love and Capital:* Karl and Jenny Marx and the Birth of a Revolution. New York: Little, Brown & Co, 2011.

GINDIN, S. "Bringing Class Back In". *Global Labour Journal*, vol. 1, n. 6, pp. 103-15, 2015.

GOWAN P. *The Global Gamble:* America's Faustian Bid for World Dominance. Verso: London, 1999.

GUERRERO, D. "Capitalist Competition and the Distribution of Profits". *In:* SAAD FILHO, A. (org.) *Anti-Capitalism:* A Marxist Introduction. London: Pluto Press, 2003.

HARVEY, D. *The Limits to Capital*. London: Verso, 1999.

HARVEY, D. *A Brief History of Neoliberalism*. Oxford: Oxford University Press, 2005.

HARVEY, D. *Introduction to Marx's Capital*. London: Verso, 2009.

HARVEY, D. *A Companion to Marx's Capital*. London: Verso, 2010.

HEINRICH, M. "Crisis Theory, the Law of the Tendency of the Profit Rate to Fall, and Marx's Studies in the 1870s". *Monthly Review*, vol. 11, n. 64, pp. 15-31, 2013.

HILFERDING, R. *Finance Capital*. London: Routledge & Kegan Paul, 1981.

HILTON, R. *The Transition from Feudalism to Capitalism*. London: New Left Books, 1976.

HOBSBAWM, E. *Age of Empire*. London: Weidenfeld & Nicolson, 1987.

HOWARD, M.C.; KING, J.E. *A History of Marxian Economics (2 vols)*. London: Macmillan, 1989, 1991.

HOWARD, M.C.; KING, J.E. "The 'Second Slump': Marxian Theories of Crisis after 1973". *Review of Political Economy*, vol. 3, n. 2, pp. 267-91, 1990.

ITOH, M. "Market Socialism". *In:* FINE, B.; SAAD FILHO, A. (org.). *The Elgar Companion to Marxist Economics*. Cheltenham: Edward Elgar, 2012.

ITOH, M.; LAPAVITSAS, C. *Political Economy of Money and Finance*. London: Macmillan, 1999.

JESSOP, B. *The Capitalist State: Marxist Theories and Methods*. Oxford: Robertson, 1982.

JESSOP, B. "The State". *In:* FINE, B.; SAAD FILHO, A. (org.). *The Elgar Companion to Marxist Economics*. Cheltenham: Edward Elgar, 2012.

KIELY, R. *Empire in the Age of Globalisation:* US Hegemony and the Neoliberal Disorder. London: Pluto Press, 2005.

KIELY, R. *The Clash of Globalisations:* Neo-liberalism, the Third Way and Anti-globalisation. Leiden: Brill, 2005.

KIELY, R. "Globalisation and Imperialism". *In:* FINE, B.; SAAD FILHO, A. (Coord). *The Elgar Companion to Marxist Economics*. Cheltenham: Edward Elgar, 2012.

KINCAID, J. "Production versus Realisation: A Critique of Fine and SAAD Filho on Value Theory". *Historical Materialism,* vol. 4, n. 15, pp. 137-65, 2007.

KINCAID, J. "Production versus Capital in Motion: A Reply to Fine and SAAD Filho". *Historical Materialism*, vol. 4, n. 16, pp. 181-203, 2008.

KINCAID, J. "The Logical Construction of Value Theory: More on Fine and SAAD Filho". *Historical Materialism,* vol. 3, n. 17, pp. 208-20, 2009.

KONINGS, M.; PANITCH, L. "US Financial Power in Crisis". *Historical Materialism,* vol. 4, n. 16, pp. 3-34, 2008.

LAPAVITSAS, C. "Money and the Analysis of Capitalism: The Significance of Commodity Money". *Review of Radical Political Economics*, vol. 4, n. 32, pp. 631-56, 2000.

LAPAVITSAS, C. "On Marx's Analysis of Money Hoarding in the Turnover of Capital". *Review of Political Economy*, vol. 2, n. 12, pp. 219-35, 2000.

LAPAVITSAS, C. "Money as Money and Money as Capital in a Capitalist Economy". *In:* SAAD FILHO, A. (org.). *Anti-Capitalism*: A Marxist Introduction. London: Pluto Press, 2003.

LAPAVITSAS, C. *Social Foundations of Markets, Money and Credit.* London: Routledge, 2003.

LAPAVITSAS, C. *Profit without Producing*: How Finance Exploits Us All. London: Verso, 2013.

LAPAVITSAS, C.; SAAD FILHO, A. "The Supply of Credit Money and Capital Accumulation: A Critical View of Post-Keynesian Analysis". *Research in Political Economy*, n. 18, pp. 309-34, 2000.

LAPIDES, K. *Marx's Wage Theory in Historical Perspective*. Westport, Conn: Praeger, 1998.

LEBOWITZ, M. *Beyond Capital:* Marx's Political Economy of the Working Class. 2ª ed. London: Palgrave, 2003.

LEBOWITZ, M. "Transcending Capitalism: The Adequacy of Marx's Recipe". *In:* SAAD FILHO, A. (org.). *Anti-Capitalism:* A Marxist Introduction. London: Pluto Press, 2003.

LEBOWITZ, M. "The Politics of Assumption, the Assumption of Politics". *Historical Materialism*, vol. 2, n. 14, pp. 29-47, 2006.

LEBOWITZ, M. *Following Marx:* Method, Critique and Crisis. Leiden: Brill., 2009.

LEBOWITZ, M. "Trapped inside the Box? Five Questions for Ben Fine". *Historical Materialism*, vol. 1, n. 18, pp. 131-49, 2010.

LEBOWITZ, M. "The State and the Future of Socialism". *Socialist Register,* pp. 345-67, 2013.

LENIN, V.I. The Three Sources and Three Component Parts of Marxism, 1913. Disponível em: www.marxists.org/archive/lenin/works/1913/mar/x01.htm

LENIN, V.I. *The Development of Capitalism in Russia*. Collected Works, vol.3. London: Lawrence & Wishart, 1972.

LEVIDOW, L. "Technological Change as Class Struggle". *In:* SAAD FILHO, A. (org.). *Anti-Capitalism:* A Marxist Introduction. London: Pluto Press, 2003.

LEVIDOW, L.; YOUNG, B. *Science, Technology and the Labour Process:* Marxist Studies (2 vols). London: Free Association Books, 1981-85.

LINDEN, M. van der. *Western Marxism and the Soviet Union*. Leiden: Brill, 2007.

MARGLIN, S. "What Do Bosses Do? The Origins and Functions of Hierarchy in Capitalist Production". *Review of Radical Political Economics*, vol, 2, n. 6, pp. 60-112, 1974.

MAROT, J.E. *The October Revolution in Prospect and Retrospect*. Leiden: Brill, 2012.

MARX, K. *Theories of Surplus Value (3 vols)*. London: Lawrence & Wishart, 1969, 1972, 1978.

MARX, K. "Critique of the Gotha Programme". *In: The First International and After*. Harmondsworth: Penguin, 1974.

MARX, K. *O Capital* (3 vols). Harmondsworth: Penguin, 1976, 1978, 1981.

MARX, K. *Grundrisse*. Harmondsworth: Penguin, 1981.

MARX, K. *A Contribution to the Critique of Political Economy*. vol. 29. Collected Works, London: Lawrence & Wishart, 1987.

MARX, K. "Value, Price and Profit". *In:* MARX, K.; ENGELS, F. *Classics in Politics* (CD-ROM). London: Electric Book Company, 1998.

MARX, K.; ENGELS, F. "The Communist Manifesto". *In:* MARX, K.; ENGELS, F. *Classics in Politics* (CD-ROM). London: Electric Book Company, 1998.

MCLELLAN, D. *Karl Marx:* His Life and Thought. London: Macmillan, 1974.

MCNALLY, D. *Another World Is Possible:* Globalization and Anti-Capitalism. London: Merlin Press, 2006.

MCNALLY, D. *Global Slump:* The Economics and Politics of Crisis and Resistance. Oakland, Calif.: PM Press, 2011.

MEDIO, A. "Neoclassicals, Neo-Ricardians, and Marx". *In:* SCHWARTZ, J. (org.). *The Subtle Anatomy of Capitalism*. Santa Monica, Calif.: Goodyear, 1977.

MEHRING, F. *Karl Marx*: The Story of His Life. London: Routledge, 2003.

MILONAKIS, D; FINE, B. *From Political Economy to Economics:* Method, the Social and the Historical in the Evolution of Economic Theory. London: Routledge, 2009.

MOHUN, S. *Debates in Value Theory*. London: Macmillan, 1995.

MOHUN, S. "Does All Labour Create Value?". *In:* SAAD FILHO, A. (org.). *Anti-Capitalism:* A Marxist Introduction. London: Pluto Press, 2003.

MOHUN, S. "Productive and Unproductive Labour". *In:* FINE, B.; SAAD FILHO, A (Coord). *The Elgar Companion to Marxist Economics*. Cheltenham: Edward Elgar, 2012.

MOSELEY, F. *Method in Marx's Capital*: A Reexamination. Atlantic Highlands, N.J.: Humanities Press, 1993.

MOSELEY, F. *Money and Totality*. Leiden: Brill, 2015.

OAKLEY, A. *The Making of Marx's Critical Theory*. London: Routledge & Kegan Paul, 1983.

OAKLEY, A. *Marx's Critique of Political Economy:* Intellectual Sources and Evolution (2 vols). London: Routledge & Kegan Paul, 1984-85.

OKISHIO, N. "Technical Change and the Rate of Profit". *Kobe University Economic Review*, n. 7, pp. 85-99, 1961.

OKISHIO, N. "Competition and Production Prices". *Cambridge Journal of Economics*, n. 25, pp. 493-501, 2000.

PANITCH, L.; KONINGS, M. American Empire and the Political Economy of Global Finance. London: Palgrave, 2008.

PERELMAN, M. *Marx's Crises Theory:* Scarcity, Labor, and Finance. Westport, Conn: Praeger, 1987.

PERELMAN, M. *Transcending the Economy:* On the Potential of Passionate Labour and the Wastes of the Market. New York: St Martin's Press, 2000.

PERELMAN, M. "The History of Capitalism". *In:* SAAD FILHO, A. (org.). *Anti-Capitalism:* A Marxist Introduction. London: Pluto Press, 2003.

PILLING, G. *Marx's Capital*: Philosophy and Political Economy. London: Routledge & Kegan Paul, 1980.

POSTONE, M. *Time, Labour and Social Domination: A Re-examination of Marx's Critical Theory*. Cambridge: Cambridge University Press, 1933.

RADICE, H. "Taking Globalisation Seriously". *Socialist Register*, pp. 1-28, 1999.

RADICE, H. "Globalization and National Capitalism: Theorizing Convergence and Differentiation". *Review of International Political Economy*, vol. 4, n. 7, pp. 719-42, 2000.

REUTEN, G. "The Notion of Tendency in Marx's 1894 Law of Profit". *In:* MOSELEY, F.; CAMPBELL, M. (Coord). *New Investigations of Marx's Method*. Atlantic Highlands, N.J.: Humanities Press, 1997.

REUTEN, G.; THOMAS, P. "From the 'Fall of the Rate of Profit' in the Grundrisse to the Cyclical Development of the Profit Rate in Capital". *Science & Society*, vol. 1, n. 75, pp. 74-90, 2011.

ROBERTSON, M. *The Financialisation of British Housing:* A Systems of Provision Approach. Tese de Doutorado, Universidade de Londres, 2014.

ROSDOLSKY, R. *The Making of Marx's Capital*. London: Pluto Press, 1977.

ROWTHORN, B. *Capitalism, Conflict and Inflation*. London: Lawrence & Wishart, 1980.

RUBIN, I.I. *Essays on Marx's Theory of Value*. Montreal: Black Rose Books, 1975.

RUBIN, I.I. *A History of Economic Thought*. London: Pluto Press, 1979.

SAAD FILHO, A. "A Note on Marx's Analysis of the Composition of Capital". *Capital & Class,* n. 50, pp. 127-46, 1993.

SAAD FILHO, A. "The Value of Money, the Value of Labour Power and the Net Product: An Appraisal of the 'New Solution' to the Transformation Problem". *In:* FREEMAN, A.; CARCHEDI, G. (org.). *Marx and Non-Equilibrium Economics*. Aldershot: Edward Elgar, 1996.

SAAD FILHO, A. "Concrete and Abstract Labour in Marx's Theory of Value". *Review of Political Economy*, vol. 4, n. 9, pp. 457-77, 1997.

SAAD FILHO, A. "An Alternative Reading of the Transformation of Values into Prices of Production". *Capital & Class*, n. 63, pp. 115-36, 1997.

SAAD FILHO, A. "Capital Accumulation and the Composition of Capital". *Research in Political Economy*, n. 19, pp. 69-85, 2001.

SAAD FILHO, A. *The Value of Marx*: Political Economy for Contemporary Capitalism. London: Routledge, 2002.

SAAD FILHO, A. "Introduction". *In*: SAAD FILHO, A. (org.). *Anti-Capitalism*: A Marxist Introduction. London: Pluto Press, 2003.

SAAD FILHO, A. "Value, Capital and Exploitation". *In*: SAAD FILHO, A. (org.). *Anti-Capitalism: A* Marxist Introduction. London: Pluto Press, 2003.

SAAD FILHO, A. *Anti-Capitalism:* A Marxist Introduction. London: Pluto Press, 2003.

SAAD FILHO, A. "Monetary Policy in the Neoliberal Transition: A Political Economy Review of Keynesianism, Monetarism and Inflation Targeting". *In*: ALBRITTON, R.; JESSPP, B.; WESTRA, R. (org.). *Political Economy and Global Capitalism:* The 21st Century, Present and Future. London: Anthem Press, pp. 89-119, 2007.

SAAD FILHO, A.; JOHNSTON, D. *Neoliberalism*: A Critical Reader. London: Pluto Press, 2005.

SAVRAN, S.; TONAK, A. "Productive and Unproductive Labour: An Attempt at Clarification and Classification". *Capital & Class,* n. 68, pp. 113-52, 1999.

SCHWARTZ, J. *The Subtle Anatomy of Capitalism.* Santa Monic, Calif.: Goodyear, 1977.

SHAIKH, A. "A History of Crisis Theories". *In*: Union for Radical Political Economics (URPE) (org.). *US Capitalism in Crisis.* New York: URPE, 1978.

SHAIKH, A. "The Poverty of Algebra". *In:* STEEDMAN, I. S. (org.). *The Value Controversy.* London: Verso, 1981.

SHAIKH, A. "Neo-Ricardian Economics: A Wealth of Algebra, a Poverty of Theory". *Review of Radical Political Economics*, n. 14(2), pp. 67-83, 1982.

SLATER, P. *Outlines of a Critique of Technology.* Atlantic Highlands, N.J.: Humanities Press, 1980.

SPENCER, D. *The Political Economy of Work.* London: Routledge, 2008.

STE. CROIX, G. de. "Class in Marx's Conception of History, Ancient and Modern". *New Left Review*, n. 146, pp. 94-11, 1984.

STEEDMAN, I. *Marx after Sraffa*. London: New Left Books, 1977.

TINEL, B. "Labour, Labour Power and the Division of Labour". *In*: FINE, B.; SAAD FILHO, A. (org.). *The Elgar Companion to Marxist Economics*. Cheltenham: Edward Elgar, 2012.

WAJCMAN, J. "Addressing Technological Change: The Challenge to Social Theory". *Current Sociology*, vol. 3, n. 50, pp. 347-64, 2002.

WEEKS, J. "Equilibrium, Uneven Development and the Tendency of the Rate of Profit to Fall". *Capital & Class*, n. 16, pp. 62-77, 1982.

WEEKS, J. "A Note on Underconsumptionist Theory and the Labor Theory of Value". *Science & Society,* vol. 1, n. 46 pp. 60-76, 1982.

WEEKS, J. "On the Issue of Capitalist Circulation and the Concepts Appropriate to Its Analysis". *Science & Society*, vol. 2, n. 48, pp. 214-25, 1983.

WEEKS, J. "Epochs of Capitalism and the Progressiveness of Capital's Expansion". *Science & Society*, vol. 4, n. 49, pp. 414-35, 1985-6.

WEEKS, J. "Abstract Labor and Commodity Production". *Research in Political Economy*, n. 12, pp. 3-19, 1990.

WEEKS, J. "The Expansion of Capital and Uneven Development on a World Scale". *Class & Capital*, n. 74, pp. 9-30, 2001.

WEEKS, J. *Capital, Exploitation and Economic Crisis*. London: Routledge, 2010.

WEIS, T. *The Global Food Economy*. London: Zed Books, 2007.

WEIS, T. *The Ecological Hoofprint*. London: Zed Books, 2013.

WHEEN, F. *Karl Marx*. London: Fourth Estate, 2000.

WICKHAM, C. *Marxist History-Writing for the Twenty-First Century*. Oxford: Oxford University Press, 2007.

WOOD, E.M. "The Separation of the Economic and the Political in Capitalism". *New Left Review*, n. 127, pp. 66-95, may-june, 1981.

WOOD, E.M. "Marxism and the Course of History". *New Left Review*, n. 147, pp. 95-107, 1984.

WOOD, E.M. *The Pristine Culture of Capitalism*. London: Verso, 1991.

WOOD, E.M. *Democracy against Capitalism:* Renewing Historical Materialism. Cambridge: Cambridge University Press, 1995.

WOOD, E.M. *The Retreat* from *Class*: A New 'True' Socialism. London: Verso, 1998.

WOOD, E.M. *The Origin of Capitalism*: A Longer View. London: Verso, 2002.

WOOD, E.M. "*Globalisation and the State:* Where Is the Power of Capital?". *In:* SAAD FILHO, A. (org.). *Anti-Capitalism:* A Marxist Introduction. London: Pluto Press, 2003.

A Editora Contracorrente se preocupa com todos os detalhes de suas obras!
Aos curiosos, informamos que este livro foi impresso no mês de fevereiro de 2021, em papel Pólen Soft 80g, pela Gráfica Copiart.